かのこちゃんとマドレーヌ夫人

万城目 学

角川文庫
17777

目次

First published 2010 in Japan by
Chikumashobo Inc.

プロローグ

四角い空き地に生い茂る背の低い草たちが、風もないのにさわさわと靡《なび》いている。まるで海に描かれた航跡のように、一本の淡い線が緑のじゅうたんを走る。草の葉がかさこそ揺れ、驚いた羽虫がぷうんと飛び立つ。朝の光を浴びようと、薄紅《うすべに》色の小さな花がせいいっぱい穂先を差し出すその根元を、丸い影が軽快な動きとともに通り過ぎた。

空き地の隅には、ずいぶん前から古タイヤが三本、放置されている。草むらからすっと現れた、薄い茶色の毛に覆われた生き物は、縦に三段積まれたタイヤを見上げ、いったん腰を落とし後ろ脚に力を溜《た》めたのち、音もなく跳躍した。

タイヤに飛び乗るなり、

「ごきげんよう、マドレーヌ夫人」

と頭上から声がかかった。

「ごきげんよう、和三盆《わさんぼん》」

「今日もいい天気でありますように」

「そうありますように」

「ひとつ話を聞いておくれ、マドレーヌ夫人。私、また新しい言葉を覚えたんだ。知っているかい？　猫舌《ねこじた》って言葉」

「ええ、知ってる」

「本当に愚かな言葉だよ。そんなもの猫に限らず、犬でも鼠《ねずみ》でも、誰だって苦手さ。だいたい、食べる前にわざわざ食事を加熱するのは、世の中で人間だけじゃないか。生き物の舌は、そもそもが熱いものをなめるようにはできていない。それなのに猫舌だってさ。まったく呆《あき》れちゃうね」

和三盆らしい考え方ね、と吐息のような笑いとともに、マドレーヌ夫人は慎重な足取りでタイヤのゴムの部分を半周回り、足元のにおいを確かめたのち、ゆっくりと腰を下ろした。

マドレーヌ夫人は猫である。

いわゆるアカトラの淡い茶味がかった猫である。

一方、和三盆はグレーの毛並みに黒の紋様《もんよう》が混じり合ったキジトラである。マドレーヌ夫人の正面にそびえる、白一色に塗られた厚さ十五センチほどの塀にのっかり、香箱《こうばこ》座りをしている。身体の右側面に浮かぶ、どこか哲学的ですらある灰色の紋様を見せつけながら、半眼《はんがん》のまま塀の延長線上を見つめている。

その眼差《まなざ》しに誘《いざな》われるように、空き地に接する民家の屋根から、三毛猫《みけねこ》が静かに塀の上に降り立った。そのまま、のっそりとした足取りで、三毛猫は塀を伝って近づいてきた。

「ごきげんよう、和三盆。今日も穏やかな一日でありますように」

「ごきげんよう、ミケランジェロ。穏やかな一日でありますように」

次いでミケランジェロと呼ばれた猫は、塀の下に視線を落とした。

「ごきげんよう、マドレーヌ夫人」

「ごきげんよう、ミケランジェロ」

「最近、そちらのほうにお邪魔していないけど、ご主人は元気?」

「ええ、おかげさまで」

とマドレーヌ夫人は前脚で顔を洗いながら答えた。そうとつぶやいて、ミケランジェロは和三盆の前方一メートルの位置に、同じく香箱座りしてふがとあくびした。

四角い空き地に三々五々、猫たちが集まってきた。いずれもメス猫ばかりである。朝のあいさつを交わしたのち、猫たちは所定の位置に座ったきり、静かに前方を見つめている。

誰もしゃべらない。

かと思えば、ときどき誰かがぽつりと言葉を発する。それに釣られ、二つ、三つ、言葉が続き、ふたたび静寂へ戻っていく。

つがいのモンキチョウがついては離れながら、はたはたと草の先をかすめ、猫たちの頭上を渡っていった。

「朝から仲のいいこったね」

あいさつの声を発したきり、古タイヤの足元にうずくまりじっとアリの動きを見つめていたキャンディーが、空を仰ぎふんと鼻を鳴らした。

「ねえ、聞いておくれよ」

このあたりでいちばんの老猫である、御歳《おんとし》十四のキャンディーは、急に深いため息をついて、長い尻尾《しっぽ》を右から左へ物憂げに倒した。

最近、家のテレビの形が急に変わってしまった、あそこは私の一番のお気に入りの場所だったのに、箱の上に寝転がると、かすかな振動とやわらかな熱の混ざり具合がとても心地よかったのに、それなのにある日突然、見知らぬ人間の男どもがずかずかと居間に入ってきて、テレビを持ち去り、代わりに板のように薄っぺらいものを置いていった、どうやらそれもテレビの一種らしい、いきなり我が家の一等地を奪われた私に対し、家の連中は同情の念を示すどころか、テレビを替えたおかげで上から垂れてくる尻尾に邪魔されず観ることができる、などと口々に歓迎の言葉を発する始末だ、普段は家族だなどと持ち上げるくせに、肝心なところでいつもこうだ、嗚呼《ああ》、老いてなおこんな仕打ちを受ける自分は何という不幸な猫なの哉《かな》――云々《うんぬん》。

悲痛な響きを言葉の端々に漂わせ、切々とテレビの一件を訴えるキャンディーだが、周囲の猫の反応はすこぶる鈍い。相づちの一つすら打たず、黙々と先達《せんだつ》の言葉を聞くばかりである。

実は彼女たちがこの話を聞くのは、今日がはじめてのことではない。それどころか、これまで幾度《いくど》となく披露《ひろう》され、いい加減聞き飽きた内容である。

キャンディー宅のテレビが交換されたのは、最近ではなく、およそ三ヵ月前のことだ。猫の三ヵ月は、人間の一年をも超える。若き頃の美しき毛並みは今やすっかり色《いろ》褪《あ》せ、どこか薄い靄《もや》がかかったような白に、黒の斑点《はんてん》が気ままに躍るぶちのキャンディーはここ半年、急に痴呆《ちほう》の度合いが進んだ。繰り返し語られるやるせない憤懣《ふんまん》を、それでも猫たちは黙って拝聴する。このあたりでいちばんの古株である、老キャンディーへの敬意の表れである。

「そろそろ、朝ごはんの時間だわね」

長々と恨《うら》み節《ぶし》を詠じたのち、キャンディーは物憂げに地面から腰を上げた。

「そうだ、マドレーヌ夫人」

草むらに潜りこもうとしたところで、キャンディーは急に首をねじった。

「ちょっと、お願いがあるんだけど聞いてもらえるかしら」

それまであさっての方角に顔を向けていたマドレーヌ夫人が、タイヤの上から視線を向けた。

「最近、隣の家が子犬を飼い始めたみたいなの。それが朝から晩まで、ひっきりなしにきゃんきゃん吠《ほ》えたてて、とても静かに眠れやしない。だから、ご主人から言ってやってもらえないかしら。何をそんなに騒ぐ必要があるのか、って」

「お安い御用よ、キャンディー」

「恩に着るわ、マドレーヌ夫人。今度、私の家の近所まで散歩に来たとき、ぜひお願い」

ではみなさんお先に失礼、と白の尻尾を軽く振って、キャンディーは身体を屈《かが》め草むらへ姿を消した。

「初耳の内容だったわね」

キャンディーの気配が感じ取れなくなったところで、塀の上の和三盆がつぶやいた。

「早く頼まれたとおりにしないと、これから毎日、お願いされるかもよ」

と正面のミケランジェロがくすくす笑いながら、言葉を続けた。

「あ、でも、そのときは別にご主人じゃなくて、マドレーヌ夫人がキャンディーについて行って、直接子犬に言ってやればいいのか」

「それは駄目《だめ》よ、ミケランジェロ。だってマドレーヌ夫人が話す外国語は、ご主人だけにしか通じないもの」

「え、そうだったっけ？」

「そうだったじゃない」

「どうしてかしら？　だって、連中も同じ言葉をお互い話しているでしょうに、変な話ね」

「そんなの私に言われてもわからないわ」

「ご主人とだけってことは、それってつまり……愛の話ということかしら」

「まあ！　そういうことになるかしら」

塀の上から注がれる、意味ありげな視線に気づいているのかいないのか、夫人は素知らぬ顔で腰を上げた。あくびと同時に前脚をそろえ、肉づきのよい、丸みを帯びた身体をゆっくりと伸ばした。その姿はオーブントースターの網《あみ》にひっついた餅《もち》を引っぱった眺めにも似て、やわらかかつしなやかである。口さがない猫たちの間でも、夫人の伸びには品がある、と定評がある。

「そういえば、マドレーヌ夫人のお宅の女の子は、もう小学校に行くようになったの？」

と和三盆が訊《たず》ねた。

「ええ、この春から」

「あの子、まだいつも指をくわえているのかしら？」

ミケランジェロが横から口を挟んだ。

「そういえば最近、その姿を見かけないかもしれない」

伸びを終えて、マドレーヌ夫人は答えた。

「人間の子どもは、学校に行くと急に知恵がつくみたいだからね。きっとこれから騒々しくなるよ」

という和三盆の言葉に「そうかしらね」とつぶやき、夫人は古タイヤのへりにつま先《さき》をそろえ下をのぞいた。

「それではお先に失礼するわ、みなさん」

「さようなら、マドレーヌ夫人」

口々に発せられる猫たちの声を背中に受け、夫人は古タイヤから飛び降りた。草むらを抜け、夫人は空き地に面した細い道路に出た。

住宅街を抜ける道を、塀に沿って小走りに進む。朝の陽を受け、駅へと急ぐ自転車が夫人の傍《かたわ》らを勢いよく通り過ぎていく。

四つ角を過ぎたところに、古い二階建ての民家が建っている。ブロック塀に挟まれた門扉の下を潜《くぐ》り抜け、マドレーヌ夫人は狭い庭を横切り、隅に置かれた犬小屋に近づいた。

色褪せた赤い屋根を戴《いただ》く、古めかしい犬小屋の隣に、鎖に繋《つな》がれた犬が尻《しり》を向けて立っていた。

「ただいま帰りました」

夫人が声をかけると、

「ああ、おかえり」

とはじめて気づいたかのように、毛並みの乱れた、一見して年老いたとわかる柴犬《しばいぬ》が、少しだけ首をもたげた。

夫人が犬小屋の脇に置かれた銀色のボウルの水をなめていると、家のなかからどたばたと床を踏み鳴らす音が響き、

「行ってきます！」

と玄関の扉が開いて、赤いランドセルを背負った小さな女の子が飛び出してきた。

女の子は門扉に手をかけながら、つま先で地面をとんとんと叩《たた》き、

「行ってきます！　マドレーヌ、玄三郎《げんざぶろう》！」

と庭の隅に手を振った。

自分たちに向けられた甲高《かんだか》い声を、夫人はボウルに首をつっこんだまま、玄三郎は尻を向けたままやり過ごした。

「最近、あの子はずいぶん元気だね」

つむじ風のように女の子が走り去ったあと、老犬がつぶやいた。

「ええ、本当に」

とボウルから顔を上げ、夫人は夫の言葉に同意した。

後ろ脚で首の根元を掻《か》きながら、人間よりもはるかに優れた聴力を持つマドレーヌ夫人の耳は、今も女の子のランドセルの中でからから鳴るふで箱の音を追っている。

そのふで箱には、たどたどしいひらがなで、女の子の名前が勢いよくマジック書きされている。

半年前、ふらりと家にやってきたアカトラの猫に、「マドレーヌ」と名前をつけた女の子は、六年前、お父さんとお母さんから、「かのこ」というとても素敵な名前を与えられた。

第一章　かのこちゃん

「親指を離したら、どんないいことがあるの？」

とベッドに横になりながら、かのこちゃんが訊《たず》ねたとき、お父さんは「そうだねえ」と少し首を傾け、

「きっと世界がグンと広くなるんじゃないかな」

と答えた。

「どういうこと？」

と眉間《みけん》に小さなしわを寄せ、問いを重ねるかのこちゃんに、

「知恵が啓《ひら》かれる、ということだよ」

とつぶやき、かのこちゃんの首元まで布団をかけた。

いったい「知恵が啓かれる」とはどういうことなのか、かのこちゃんには皆目《かいもく》わからなかったけれど、ふうんとうなずいて布団を頭までかぶった。「おやすみ！」と大声で告げ、すとんと眠りに落ちた。

翌日、お父さんと話したことなどすっかり忘れ、かのこちゃんが相も変わらず親指を吸っているのを見たお母さんは、

「来週から小学校なんだから、もうおしゃぶりは卒業」

と困り顔で腰を屈《かが》め、ため息とともにかのこちゃんの口から親指を抜いた。

つややかに濡《ぬ》れたかのこちゃんの親指は、ずいぶんとふやけてしまっていた。長い間、吸いすぎたせいで、つめのまわりの皮がささくれたように、ギザギザの線を描き浮かび上がっている。常に湿っているため、新しい皮が貼りつかず、皮の先はどれも白っぽい。お母さんが鼻を近づけてにおいをかぐと、何とも言えぬくさみが宿っていた。

「そんなに吸っていたら、腐っちゃうよ」

真剣な声で訴えるお母さんの言葉に、そのときは素直にうなずいて気をつけの姿勢を保つも、しばらくすると、かのこちゃんは何事もなかったように、指を吸いながら庭をとことこ走っていた。

犬小屋の手前で立ち止まり、かのこちゃんは銀色のアルミのボウルを手に取った。表面に羽虫が浮いているのをしばらく見つめたのち、中身を庭にまいた。犬小屋の背後にある、洗い場の水道の蛇口《じゃぐち》をひねり、新しい水をボウルに満たした。柴犬の玄三《げんざぶ》郎《ろう》は、塀際の土がくぼんだところで寝そべっている。かのこちゃんはボウルを元の位置に戻すと、犬小屋をのぞいた。口を「ω《オメガ》」のように結んだ猫のマドレーヌと正面で目が合った。昼間は縦に細くなる瞳《ひとみ》が、犬小屋の薄暗さに助けられ、きれいな真円を描いている。

マドレーヌは何でも知ってそうな目をしているなあ、とかのこちゃんは感心しながら、大きな黒い瞳を見つめた。

マドレーヌがふげとあくびした。開いた下あごに、鋭く尖《とが》った、端正な白い歯が並んでいた。口を閉じると、マドレーヌは前脚をなめ始めた。

これは指を吸うのとはちがうのかな、と忙しく反復する舌の動きを見下ろしながら、かのこちゃんはおもむろに口に収めていた親指を抜いた。まるでお風呂《ふろ》に浸《つ》かっていたかのようにふやけている指をじっと見つめた。少し、においをかいだ。お母さんは「大変、大変」と言って、お父さんは「参った、参った」と言って、決まって大げさな顔とともにのけぞるが、かのこちゃんには何のにおいも感じられない。

かのこちゃんは親指をマドレーヌの前に持っていった。脚をなめる動きを止め、マドレーヌは差し出された親指に視点を定めた。ななめに傾いていた体勢を戻し、親指に鼻を近づけた。

かのこちゃんの指の腹に、マドレーヌの鼻が触れる冷たい感触が走った。マドレーヌはしばらくの間、熱心に指のにおいをかいでいた。

「どうかしら」

姿勢を低くして、かのこちゃんがのぞきこむと、マドレーヌはそれに呼応して鼻を引っこめた。同時に、「ふげ」とひっくり返ったような声を上げのけぞった。と思ったら、反動をつけて、かのこちゃんの親指にいきなり嚙《か》みついた。

「痛っ」

あわてて親指を引いたとき、かのこちゃんの頭の中で何かが「ポコン」と音を立てた。

それはお父さんが言っていた、まさに「知恵が啓かれた」瞬間の合図だったのだが、かのこちゃんにはわからない。ただ、お風呂でこっそりおならをしたときに、水面に上ってきた空気のかたまりが弾《はじ》ける音に似ている、と咄嗟《とっさ》に連想した。

親指をのぞきこむと、やわらかそうな指の腹に、赤い歯型が点を描いて残っていた。かのこちゃんはゆっくりと鼻を近づけ、真剣な表情でにおいをかいでみた。

信じられないくらい、くさかった。

その日から、かのこちゃんは親指を吸うことをやめた。

これまでいくらなだめてもすかしても、頑《かたく》なに親指を離そうとしなかったかのこちゃんが、どうしてきれいさっぱりあきらめることができたのか、お母さんが不思議で仕方がないといった表情でその理由を訊ねると、

「ちえがひらかれたのよ、お母さん」

とかのこちゃんは自信満々の声で答えた。

お母さんには何のことかよくわからなかったけれど、それでも小学校に行く前に懸念の一つが解消されてよかった、と安堵《あんど》したついでに、スーパーでかのこちゃんの大好きないちごを買ってきてくれた。

かのこちゃんはそれをお父さんに頼んでスプーンの腹で一つずつ潰《つぶ》してもらい、砂糖と牛乳をたっぷりかけて、いちごミルクにしていただいた。

＊

かのこちゃんの知恵は突然、啓かれた。

それまで、どちらかといえば控えめで、ひとり静かにぼんやりしていることが多かったかのこちゃんが、急に「これは何？」「あれは何？」と大きな声で、お父さんとお母さんに疑問をぶつけ始めた。

とはいえ、以前も変わらず、かのこちゃんの頭の中では、とても活発で色とりどりの世界が日々忙しく展開していたのだが、親指という栓《せん》が抜けたおかげで、内なる好奇心が一気に外の世界へと噴き出したのだ。

「これは何？」

「これは、けしょうすい」

「これは何?」

「これは、にゅうえき」

「これは何?」

「これは、したじ」

「これは何?」

「これは、ファンデーション」

「全部、お母さんの?」

「そう、お母さんのお化粧道具」

「これ全部、使うの? 毎日、大変だね」

まじまじと見上げる素直な視線に、「今は何も塗ってないよ」とお母さんは少し動揺した声色で答えながら、かのこちゃんが並べた化粧道具を一つずつポーチに戻していった。

「どうして、こんなにいっぱい必要なの?」

「お母さんくらいの歳《とし》になるとね、いろいろ手間をかけなくちゃいけなくなるの」

あなたはまだまだ必要ないけどね、とお母さんはぷっくりと膨らんだかのこちゃんの頰《ほお》を撫《な》でて、「いいなあ」とつぶやいた。

「何がいいの?」

ふうん、とかのこちゃんは曖昧《あいまい》にうなずいて、お母さんのポーチのファスナーをしめる手伝いをした。

「お父さんはお化粧しないの？」

「男の人はお化粧しなくていいの。きれいになるのは女の人だけ」

「どうして？　男の人は汚いままでいいの？」

「汚いままは困るけど、別にきれいにならなくても、そのままがいいことだって世の中にはたくさんあるの」

さあさあ、晩ごはんの用意しなくっちゃ、とお母さんが台所に行ってしまったので、かのこちゃんはお父さんのもとに向かった。「知恵が啓けて」以来、かのこちゃんはお父さんに言葉を教えてくれとよくせがむようになった。かのこちゃんは、難しい言葉でかつ変な響きを持つものが好きだった。たとえば、「やおら」とか「とかく」とかいった言葉が好きだった。でも、「すこぶる」とか「やにわに」とかいった言葉は嫌いだった。「わからないなあ」とお父さんは笑っていたが、かのこちゃんは「全然、感じがちがう」と主張して、またぞろ次の言葉を教えるようせがんだ。

「お父さんは汚いままでいいんだって」

とかのこちゃんが小走りでやってきたので、お父さんは、

「え、何が？」

とリビングのテーブルに広げていた新聞から顔を上げた。かのこちゃんはその問いには答えず、

「学校で宿題が出たの」

と背の低いテーブルの前に正座した。

「へえ、一人前だね。どんな宿題？」

「どうしてその名前になったのか、家でお父さんとお母さんに訊《き》いてくるの」

ははあ、なるほど、とうなずいて、お父さんは新聞を畳《たた》んで、テーブルの隅に置いた。

「どうして、かのこって名前にしたの？」

「かのこという名前がいい、って言われたからだよ」

「誰に？」

「鹿《しか》に」

「鹿？　どうして鹿が出てくるの？」

「鹿の身体には、白い斑点《はんてん》があるだろう。毛が生え替わって夏のはじめに浮かぶあの斑点を、鹿の子《かこ》模様って言うんだよ。とても、やわらかな感じがして、美しい模様なんだ」

「それと名前がどう関係あるの？」

「だから、鹿がそう言ったんだよ」

かのこちゃんは首を少し傾けたまま、動きを止めた。

「じゃあ――お父さんは鹿に『かのこにしなさい』って言われたってこと？」

「そうだよ。久々に会ったとき、『今度、子どもが生まれる。女の子なんだ』って話したら、この名前がいい、って」

かのこちゃんは「ふうん」とやけに平坦《へいたん》な調子でうなずいたあと、急に慎重な顔つきになって、

「お父さんは鹿の言葉が話せるの？」

と探るような声で訊《たず》ねた。

お父さんは「鹿の言葉は、わからないよ」と急にニヤニヤ笑いを浮かべた。

「でも、世の中にはたくさん鹿がいるからね。一頭くらい、人の言葉が話せる鹿がいてもおかしくないかもしれない」

「それじゃあ、猫や犬のなかにも、人と話せるのがいる？」

「いるかもしれない」

「うちのマドレーヌや玄三郎も話す？」

「ひょっとしたら話すかもね」

そうなのかあ、とかのこちゃんは腕を組んだ。やっぱり勘は当たっていたと合点した。「本当はわたしの言葉、わかるんでしょ」とマドレーヌと玄三郎の耳をつまんで、相手が嫌がるまで同じことを何度も吹きこむ密《ひそ》かな日課を、今後も続けていこうと心に決めた。

夕食までの間、かのこちゃんは動物図鑑を引っ張り出して熱心にのぞいていた。親子の鹿が並んだ図鑑の写真には、お父さんの言うとおり、ともに身体の側面にこもれびのような白い斑点が躍っていた。「鹿に言われたから」という理由は思いもよらぬものだったけれど、それもいいな、とかのこちゃんは思った。むしろ誇らしさすら感じ、気づかぬうちに鼻の穴が膨らんでいた。

晩ごはんは、かのこちゃんの好きなカレイの干物だった。お父さんから教えてもらった名前の一件を話すと、お母さんは困ったような笑みを浮かべながら、「もう終わり」と梅干しの入った小さな壺《つぼ》を、かのこちゃんの前から取り上げた。隙《すき》さえあれば、かのこちゃんは梅干しをいくらでも食べてしまうからだ。

「お母さんも鹿と話したの？」

ううん、とお母さんは首を横に振った。

「お母さんは、鹿は人の言葉を話さないと思うけど、でもお父さんが言うなら、そうなのかもね」

お父さんは「本当の話だよ」とうなずいて、カレイを頭からばりばりと食べた。

翌日、かのこちゃんは学校で「わたしのなまえ」と先生が黒板に大きな字で書いた授業で、家で教えてもらったことをそのまま大声で発表した。

それは誰《だれ》が言っていたの？　と笑いながら訊ねる先生に、かのこちゃんは「お父さん！」と即答した。

一週間後、学校で一学期はじめてのPTAの集まりがあったとき、お母さんは、見知らぬお母さん方から「かのこちゃんのお父さんは、鹿とお話ができるんですってね」と口々に話しかけられ、恥ずかしいやら、困ったやらで、始終うつむき加減でとても居心地が悪かった。

「わたしのなまえ」の授業があったあと、しばらくの間、かのこちゃんのお父さんは鹿と話すことができる、とクラスでいちばん有名なおとなの男の人になっていたのだ。

＊

去年の九月、かのこちゃんはひとりで庭に座りこみ、「野点《のだて》」を作っていた。

かのこちゃんの家の庭は三坪にも満たないとてもこぢんまりした造りだけれど、茶室に面している、という点が普通の庭とちがっていた。去年まで一緒に暮らしていたおばあちゃんが、そこでお茶の先生をしていたのだ。

　おばあちゃんが病気で亡くなり、おばあちゃんの持ち物を親族で分けることになったとき、かのこちゃんは茶室に飾ってあった掛け軸をもらった。掛け軸には、フランスパンのように、にゅうと横に棚引く雲がたくさん浮かんでいて、雲の切れ間から、野原に大きな傘《かさ》を立て、むかしの服を着た人たちがピクニックをしている様子が描かれていた。かのこちゃんは、レジャーシートを敷き、傘の下であぐらをかいている人たちの、服の裾《すそ》がゆるりと垂れ下がった様子や、風に吹かれる長いひげや、楽しそうに身体をねじって飛ぶように走る犬の姿を眺めるのがとても好きだった。

「みんなで遠足に来たのかなあ」

　と親指を吸いながら掛け軸を見上げるかのこちゃんに、

「これは茶会をしている絵なんだよ」

　とお父さんが教えてくれた。

「雨が降ってないのに、どうしてみんな傘をさすの？」

「ビーチ・パラソルと同じだよ。これは中国の傘で、唐傘って言うんだ。こうして外で茶会をすることを野点っていうんだよ」

　ふうん、とうなずくかのこちゃんに、お父さんは「一期《いちご》一会《いちえ》」という言葉もいっしょに教えてくれた。だが、聞いた次の瞬間には「いちご」の部分を除いて、かのこちゃんの脳裏からきれいさっぱり忘れ去られていた。

かのこちゃんは、ときどきひとりで庭に出て遊ぶ。

おばあちゃんの掛け軸を眺めるうち、かのこちゃんはそこに描かれた風景をそのまま庭に再現してみようと思い立った。すなわち、土を盛って丘を築き、地面を削った部分に水を貯めて池を表し、塀の足元に生えていたこけを丘に移植し、そのてっぺんにお子様ランチ用の傘を立てる。傘の下には、レゴ・ブロックの人形を二つ座らせて、主人と客を模した。茶碗《ちゃわん》は、レゴ人形の取り外し可能な頭のかつらをひっくり返して使った。かつらを外したおかげで、傘の下にはツルツル頭のお坊さんが二人座っているように見え、妙に趣が出た。犬は他と縮尺がずいぶん異なるけれど、玄三郎をそのまま使うことにした。

かのこちゃんは二時間かけて、「野点」の風景を作り上げ、満足げな顔で犬小屋の脇《わき》にある水道で手を洗った。玄三郎を背景に入れ、完成した絵をデジカメで撮ってもらおうと、茶室の縁側からお母さんを呼ぼうとしたとき、急に遠くで雷が鳴る音が聞こえた。

かのこちゃんは慌《あわ》てて、玄関に回って靴を脱いだ。

「お母さん、ゴリラじゃないやつが来た！」

と台所に向かって、大声で告げた。お母さんは「それは大変」と大急ぎで、二階の洗濯物の取りこみにかかった。かのこちゃんはお母さんから、首や頭にバスタオルやTシャツをたくさんかけてもらって、リビングとの間を往復した。

案の定、五分も経たないうちに、雷は家の真上までやってきて、滝のような雨を降らせ始めた。

「ゴリラじゃないやつ、すごいね」

「ゲリラ豪雨ね」

窓をうち叩《たた》く雨粒の音を聞きながら、お母さんは洗濯物を畳んだ。「ゲリラ」という言葉には、何かとても刺激的な響きがあるのに、かのこちゃんはどうしても「ゲリラ」を覚えることができない。いつも「ゴリラみたいなやつ」で止まってしまう。「ゴ」を「ゲ」に替えたらいいだけなのに、その一歩がなぜか遠い。ただ「ゴリラ」でないことはわかるので、結果「ゴリラじゃないやつ」という表現に落ち着く。

洗濯物の山に顔を埋《うず》め、鼻から吸った空気の味わいが変わることを楽しんでいると、かのこちゃんの頭の中で庭の「野点」の存在が蘇《よみがえ》った。

「たいへんだ」

かのこちゃんは顔を上げ、大急ぎで茶室に向かった。

雨がどろどろと滝のように流れ落ちる窓から外の様子を確かめた。

案の定、つまようじの傘は倒れ、かのこちゃんの造った丘はすっかり崩れてしまっていた。激しく地面を叩く雨が巻き上げる、大きな泥しぶきのなかで、二人のレゴ人形のお坊さんがおぼれていた。

ふと、かのこちゃんの視界の隅で、白っぽい影が揺れた。何だろう、とかのこちゃんは顔を向けた。

「お母さん！」

思わず発せられた声の常ならぬ響きに、お母さんがすぐさま茶室にやってきた。

「どうしたの？」

「あそこ！　玄三郎が！」

窓ガラスを叩くかのこちゃんの指の先を、お母さんは目で追った。

「まあ」

かのこちゃんに負けず、お母さんは甲高《かんだか》い声を上げた。

視界がかすむほど強く降り続く雨のなかで、玄三郎がぽつんと突っ立っていた。

玄三郎は雷が大の苦手だった。にもかかわらず、雨に打たれたまま、じっと自分の犬小屋を見つめている。

「どうして、犬小屋に入らないんだろう」

かのこちゃんは、額を窓ガラスに強く押しつけながら、濡《ぬ》れた毛がすっかり身体に張りついてしまった玄三郎を見つめた。今すぐにでも庭に飛び出しそうな勢いのかのこちゃんを、お母さんは雷が危ないから駄目《だめ》と慌《あわ》てて引きとめた。もうしばらくしたらやむからと諭し、玄関に黄色い長靴を用意した。

十分が経った頃、お母さんの言ったとおり、雨足は急に弱くなり、雷は遠くへ去っていった。

「いいわよ」

お母さんの許可が下りると、レインコートも着て準備万端の格好で待ち構えていたかのこちゃんは、傘を手に勢いよく玄関から飛び出した。雨にすっかり溶けてしまった「野点」には目もくれず、玄三郎のもとへ急いだ。

玄三郎は茶室から見たときとまったく同じ姿勢で、犬小屋の前にたたずんでいた。

「どうして、中に入らなかったの？」

かのこちゃんは、濡れそぼった玄三郎の首筋に手を置いた。今年で十三歳になる玄三郎は、この一年で急に老いが目立つようになった。耳が悪いのは以前からだが、呼びかけてもまったく気づかないことも多くなった。毛並みもぼさぼさして、お世辞にもきれいとは言えない。犬は歳をとるとお尻《しり》が小さくなる、とお父さんが言っていたが、雨に濡れた玄三郎のお尻は確かに、普段にも増して胸囲に比べずいぶん幅が小さくなっていた。

玄三郎の頭に傘を差しかけ、かのこちゃんはしゃがみこんだ。玄三郎は依然、犬小屋の内側に視線を向けている。

「何かいるの？」

かのこちゃんは玄三郎の前に顔を突き出して、中をのぞきこんだ。

立っているときにはわからなかったが、犬小屋の奥に、何ものかがうずくまっていた。

かのこちゃんはさらに顔を近づけた。

薄暗い小屋の隅で、丸い影の真ん中に小さな光が二つ瞬《またた》いた。

かのこちゃんがはじめて、マドレーヌと出会った瞬間だった。

＊

食卓でお父さんが眉間《みけん》にしわを寄せ、難しそうな表情で本を眺めているので、

「お勉強？」

とかのこちゃんが訊《たず》ねると、

「そう、漢字の勉強」

とお父さんは得意そうな顔でニヤリと笑った。

まだ小学校が始まって半月しか経っていないけれど、かのこちゃんは一から十まで

漢字を書くことができるようになった。何か知っている字があるかもしれない、と意気ごんで、かのこちゃんは隣のイスに座った。「どれどれ」とお父さんの手元をのぞいたが、ページを眺めるなり面食らった。なぜなら、かのこちゃんが知っている漢字とは到底同じ仲間と思えない、まるで魚の骨がでたらめに重なり合ったような字がこれでもかというくらい並んでいたからだ。

「これ、本当に漢字？」

「そうだよ」

「お父さんは全部書けるの？」

「書くことは難しいね。読むほう専門かな」

「これは何て読むの？」

「これは刎頸《ふんけい》の友」

「どういう意味？」

「とても仲のいい友達、という意味だよ」

「最初から、〝仲のいい友達〟って使ったら駄目なの？」

「別に構わないけど、あえて難しい言葉を使ったほうが格好よかったり、言いたいことがよく伝わったりすることもあるんだよ」

へえ、と相づちを打ちながら、すでに本への興味を失ってしまったかのこちゃんは、早々にイスから下りた。「ふんけー」「ふんけー」「ふんけー」と口ずさみながら、スキップで隣の部屋にいるお母さんのもとに移っていった。

アイロンがけをするお母さんの隣で新聞のチラシを眺めつつ、「そろそろちがうやつにして」とお願いされるまで、かのこちゃんは「ふんけー」「ふんけー」と唱え続けた。その鼻から抜けるような語感が、いたく気に入ったのだ。

言葉を知ると、新たな世界が照らし出される。

「ふんけーの友」という言葉を知った一週間後のこと、かのこちゃんは本物の「ふんけーの友」に出会うチャンスを得た。

相手はクラスメイトの女の子だった。ひと目見たときからその子のことを、

「こやつはできる」

とかのこちゃんは確信した。

その日、かのこちゃんは始業五十分前に登校した。

というのも、前日にお母さんが時計の電池を交換したあと、目覚ましの時間セットを間違えたせいで、かのこちゃんとお父さんは普段より一時間早く起こされた。しかし、朝ごはんを食べ終わるまで誰《だれ》もそのことに気づかず、お父さんがテレビをつけ、画面隅の時間を見てはじめて、まだ七時にもなっていないことを発見したのである。

始業までまだずいぶん時間があったが、家でじっとしていても仕方がないので、か

のこちゃんは学校へ向かった。昇降口に着いたとき、壁の時計は七時半を指していた。きっと教室には一番乗りだろうと思うと、急に心がウキウキしてきた。かのこちゃんは早起きが大の苦手だが、こんな楽しい気持ちになるのなら、明日《あした》も早起きしていいとさえ思った。

「一番乗りい」

と軽快なステップを踏みながら、かのこちゃんは教室の前方のドアを勢いよく開けた。

しかし、教室にはすでにひとり、女の子が席に座っていた。

女の子はひどく妙な格好をしていた。

机に両肘《りょうひじ》をつき、なぜか両の親指を、二つの鼻の穴それぞれにつっこんでいた。ドアを開けたまま固まっているかのこちゃんと視線が合うと、女の子は鼻に突っこんだ親指以外の指をひらひらさせた。

「おはよう」

女の子は依然指をひらひらさせながら、鼻声であいさつをした。

「おは、よう」

かのこちゃんが何とかあいさつを返すと、女の子はすっと席から立ち上がった。くるりと背を向けると、ひと言も発さずそのまま後ろのドアから出て行ってしまった。

かのこちゃんは、度肝を抜かれた。

学校が始まって半月が経つも、かのこちゃんはまだクラス全員の名前を把握しておらず、教室を出て行った女の子の名前も知らなかった。

かのこちゃんは女の子の机に急いだ。

一年生の教室の机には、お互い名前を早く覚えられるよう、右上に名前を記したシールが貼りつけてある。

「けやきすず」

シールを見つめ、すずちゃん、とかのこちゃんはつぶやいた。

ただ者ではない、と思った。

ひとりになった教室で、かのこちゃんはランドセルを後ろの棚に置き、すずちゃんの帰りを待った。

だが、すずちゃんはなかなか戻ってこなかった。

続々とクラスのみんなが登校してきても、いっこうに帰ってこない。

すずちゃんがやっと教室に姿を現したのは、スピーカーから始業のチャイムが鳴り始めた頃だった。どこか具合が悪くなったのではないか、と心配していたかのこちゃんは、すぐさますずちゃんのもとに向かおうとしたが、チャイムが鳴り終わる手前で先生が教室に入ってきて、「おはようございます」と大声であいさつした。かのこちゃんのクラスの先生はとても身体の線が細い女の人だけれど、その声はびっくりするほどよく響くのだ。次いで先生は、「チャイムが鳴ったのに、まだ席についていない人は誰ですかあ？」と額にひさしのように手を置き、教室を眺めまわす仕草をしたので、かのこちゃんは慌てて自分の席に戻った。

かのこちゃんは、じりじりした気持ちで、すずちゃんと話す機会をうかがった。しかし、授業と授業の合間の十分休みは、教室の移動や、先生がかわるがわるやってきて連絡事項を話すので、まったく近づくヒマがない。そうこうするうち、あっという間に下校の時間がやってきてしまった。一年生はまだ給食が始まっていないので、授業は午前いっぱいでおしまいなのだ。

「先生さようなら、みなさんさようなら」

と全員で別れのあいさつをして、先生は「廊下に整列して、連絡帳を受け取った人から帰ってください」と声をかけた。かのこちゃんは、ランドセルを背負って小走りにドアへ向かうすずちゃんを目で追いながら、その場にとどまった。かのこちゃんはおととい、クラスの「でんきがかり」に任ぜられたばかりだった。「でんきがかり」は、最後まで教室に残って電気を消すことが役目なのだ。

全員が廊下に出たのを確認して、かのこちゃんは前方のドアに向かった。ドア脇のスイッチに手を伸ばそうとしたとき、

「おい、知ってるか？」

と廊下から急にまつもとこうたが顔を出した。

「何？」

「電気が流れるから、電球は光るんだぜ」

「知ってるわよ、そんなこと。当たり前じゃない」

「じゃあ、人間に電気が流れたらどうなるか、知ってるか？」

挑戦的な笑みを浮かべ、まつもとこうたは天井の蛍光灯を指差した。思わぬ質問に、かのこちゃんはスイッチから手を離し、「うーん」とうなって天井を見上げた。コンセントに触れたら駄目とお母さんによく言われるから、電気が危ないことは知っている。でも、実際にどう危ないのかはわからない。あれこれ考えを巡らすも、結局かのこちゃんは首を横に振った。

「わからない、どうなるの？」

「わからないから、訊《き》いてるんだろ。『でんきがかり』だろ」

そのいかにも小馬鹿《こばか》にしたような物言いに、「何よ」とかのこちゃんが一歩足を前に進めたとき、

「そんなの、簡単じゃない」

という鋭い一声が廊下から放たれた。

驚いてかのこちゃんが視線を向けると、いつの間にか、まつもとこうたの背後にすずちゃんが立っていた。

「な、何だよ、わかるのかよ」

「わかるわよ」

「どうなるんだよ、人の身体に電気が流れたらどうなるか、言ってみろよ」

すずちゃんはそんなこともわからないの？　とばかりに、ふんと鼻を鳴らすと、挑みかかるような眼差《まなざ》しとともに、

「ビリビリッて音がして、骨が見えるのよ」

と力強い調子で答えた。

一瞬の沈黙が、三人の間に流れた。

「ワオ！」

とかのこちゃんは感嘆の声を上げた。

絶対にそれしかない、と思った。

まつもとこうたも同じことを感じたのだろう。顔を赤らめて、「うむ」とうなっている。

「『でんきがかり』さん、どうしたの？　電気を消してください」

と廊下から先生の声が聞こえてきて、かのこちゃんは慌てて「はい！」と大きく返

事して、教室の電気のスイッチを切った。

校門まで、すずちゃんと並んで歩いた。

隣でまつもとこうたが、

「おまえ、すごいな」

「ビリビリビリ」

「おれも確かに、光っているのテレビで観たことある。なんかのアニメ」

といつまでもうるさかった。おかげで、話したいことを何も話せぬまま、帰り道が反対のすずちゃんとは校門の前で別れた。

「また明日《あした》」

「また明日」

すずちゃんはどこかぎこちない仕草ながら、手を挙げて応《こた》えてくれた。

改めて、ただ者ではないという確信を強め、かのこちゃんは帰路についた。明日が今から楽しみだった。家の前の四つ辻《つじ》まで、まつもとこうたは両手を広げ、「ビリビリビリ」と電気が流れるポーズをひたすら繰り返していた。途中、かのこちゃんもお付き合いで、いっしょに「ビリビリビリ」とやってあげたら、「おまえ下手くそだな」と言われた。家の前で別れるまで、まつもとこうたとは二度と口をきいてやらなかった。

＊

かのこちゃんの胸の内側で一気に花開いた期待の大きさとはうらはらに、すずちゃんとの距離はその後、いっこうに縮まる気配を見せなかった。

それどころか、どうやらすずちゃんがかのこちゃんを避けていることがうすうす知れてきた。

かのこちゃんが近づくと、すずちゃんは決まって席を立ち、どこかへ行ってしまう。朝の時間を逃すと、次のチャンスは昼休み、つまり下校時間までほとんど訪れることはない。しかし、かのこちゃんは「でんきがかり」である。教室に残って電気を消している間に、すずちゃんはさっさと帰ってしまう。それで一日は呆気《あっけ》なく終了する。かのこちゃんはとぼとぼと家路につくしかない。

日曜日、無為なまま過ぎ去った学校での一週間を振り返りながら、かのこちゃんは庭で土遊びをした。

「まったく、あなたたち、お互い言葉も通じないのに、どうしてそんなに仲良しなの？　言葉が通じても、こっちはもうぜんぜん」

投げやりにスコップを土に突き刺し、かのこちゃんは玄三郎とマドレーヌに語りかけた。

玄三郎は犬小屋から上半身をせり出し、わずかに段差のある地面に右脚を置いて顔を向けている。かれこれ三十分間、同じ姿勢のまま動かない。最近の玄三郎は、動くのも面倒なのか、同じ格好でよく固まっている。それでも、散歩ひもを見せると、危なっかしい足取りながら、うれしそうに鎖をしゃらしゃら鳴らして、犬小屋の前をぐるぐる回る。

マドレーヌは塀と家の壁の間に設置した室外機の上に寝転がり、毛のなかに顔を埋《うず》めていた。縞《しま》の入った長い尻尾《しっぽ》が、ファンの覆いの前にだらんと垂れている。「どうして話してくれないんだろう、ねえマドレーヌ」と呼びかけられると、ほんの少し尻っぽの先が反応した。

かのこちゃんは黄緑色のプラスチックのコップに土を詰めては地面にあけ、それをスコップで半分に、さらに四分の一に分けるという作業をひたすら繰り返しつつ、すずちゃんの薄いけど幅のある眉《まゆ》を思い浮かべた。教室のドアを開け、鼻に親指をつっこんでいる女の子を見た瞬間から、かのこちゃんの胸は激しくときめいた。クラスの女の子は、かのこちゃんのピンクの髪留めゴムを、とても素敵だと褒《ほ》めてくれるけど、かのこちゃんにしてみれば、そんな髪留めゴムよりも、鼻に親指をつっこみ、残りの指をひらひらさせている女の子のほうがよほど素敵だった。

門扉が開く音にかのこちゃんが顔を上げると、お母さんに頼まれ、買い物に出かけていたお父さんが帰ってきたところだった。「ただいま」とビニール袋を両手に提げ、お父さんは庭を突っきり、茶室の縁側に腰を下ろした。「おやつあるよ」と隣に置いた袋を指差した。かのこちゃんは手を洗うと、袋を探り、いくつかの候補の中から「都こんぶ」を選んだ。

「学校はどう?」

とペットボトルのお茶を傾けるお父さんの問いに、「なかなか難しい」と肩をすくめ、かのこちゃんは「都こんぶ」を一枚しゃぶった。「甘い、あ、すっぱい」とうれしそうに口をすぼめた。

月曜日、登校して教室に入るなり、かのこちゃんは教室に漂う異様な雰囲気を察知した。それもそのはずで、教室の真ん中にとても大きな人だかりができている。「どうしたの?」とドア脇に立っている女の子に訊《たず》ねると、「勝負してる」と返ってきた。

「何の勝負?」

「男子と女子、どっちが難しい言葉を知っているか」

かのこちゃんは後ろの棚にランドセルを置くと、教室の真ん中に急いだ。クラスのほぼ半分、二十人ほどが教室の中央に円を描いている。中の様子を確かめるべく、「しつれい、しつれい」と強引に人垣に身体をねじこんだ。

「マスタード」

という男の子の声が、背中が重なる向こう側から聞こえてきた。

「ランチョンマット」

という女の子の声がそれに続く。

「シーラカンス」

と男の子。

「びんちょうマグロ」

と女の子。

凛《りん》として響く女の子の声に、誰だろうとようやく最前列に顔を出すと、なぜか目の前にすずちゃんがいた。

すずちゃんの前には、たくくんが立っている。どういう訳か輪の中心では、机を挟んですずちゃんとたくくんが対峙《たいじ》している。

怪訝《けげん》な表情で二人の顔を見比べるかのこちゃんの二の腕を、こはるちゃんがつついてきた。

「おはよう、かのこちゃん」

「おはよう、こはるちゃん」

現在の状況を、こはるちゃんは早口で説明してくれた。それによると、ひょんなことで男子と女子、どちらが難しい言葉を知っているか勝負しようという話になり、お互いてんで勝手に難しい言葉を叫《さけ》び合《あ》っていたのだが、そのうちすずちゃんとたくくんの言語レベルが抜きんでていることが知れるようになり、ついには二人が男子と女子を代表して対決することに相成ったのだという。

「がんばれ、すずちゃんッ」

説明を終えると、普段の穏やかな外見と異なり、意外と荒々しい調子でこはるちゃんは声援を送った。それに誘引されるように、

「負けるな、たくッ」

と男子の間からも声が上がった。

相手はたくくんかあ――。

これは手強《てごわ》い、とかのこちゃんは改めてすずちゃんの向かいに立つ、色白で小柄《こがら》な少年に視線を送った。

たくくんは押しも押されもせぬ、クラス随一の秀才である。噂《うわさ》では幼稚園の年中のときから足し算と引き算をすらすらとこなし、最近はかけ算にまで手を伸ばしているらしい。にもかかわらず、たくくんはそれを鼻にかけることもなく、いたってマイペースに日々、秀才を貫いている。目元は涼やかで、物腰はやわらかで、少し長めの髪はさらさらで、高めの声ではきはきしゃべる。放っておいても、あちこちから「デキ

る」雰囲気を発散している。さすがにかのこちゃんも、たくくんには一目置かざるを得ない。

「プテラノドン」

とたくくんが言った。

「ガガンボ」

とすずちゃんが応《こた》えた。

「ルアー」

「リリアン」

「UVカット」

「コエンザイムQ10」

「カンボジア」

「トルクメニスタン」

「エナメル線」

「単二電池」

「オバマ大統領」

「いかりや長介《ちょうすけ》」

「そば湯」

「茶柱」

二人の口から次々と放たれる豊かな語彙《ごい》に、かのこちゃんは心底ほれぼれしてしまった。淀《よど》みなく交わされる言葉の応酬に、このまま永遠に勝負がつくことはないのではないか、とふと思ったとき、急にすずちゃんの声が途切れた。

「おうおう、どうした？　終わりか？」

すぐさま、たくくんの後ろに陣取るまつもとこうたが意地悪な声を発した。

「5秒止まったら負けだぜ。5、4、3――」

がんばってすずちゃん！　とかのこちゃんは拳《こぶし》をにぎって強く念じた。しかし、すずちゃんは蒼《あお》い顔のまま下唇《したくちびる》をぎゅうと噛《か》んでいる。

「2、1、はい負――」

「いかんせん！」

気づいたとき、かのこちゃんは大きく挙手し、一歩前に足を踏み出していた。

「何だよ、それ」

まつもとこうたはカウントダウンを止め、いかにも迷惑そうな視線を向けた。

「だから、いかんせん！」

「何だよ、イカせんって。イカせんべいのことか？」

「ちがうわよ。だから、いかんせんよ。ちゃんとした言葉よ」

「そんな言葉聞いたことない。勝手にデタラメ作るなよ」

お父さんから教えてもらった言葉を無下《むげ》に扱われ、かのこちゃんの頬にみるみる赤みが差した。

「ほとほと！」

「やおら！」

「たまさか！」

「とくとくと！」

かのこちゃんは頭の中の、「どこか変で、でも好きな響きの言葉」リストから次々と引っ張り出してきては、口を尖《とが》らせて連発した。最後に「野点《のだて》！」「ふんけーの友！」もつけ加えた。しかし悲しいかな、まつもとこうたを含め、まわりのクラスメイトたちの反応はすこぶる悪い。つまり誰もそれらの言葉を知らない。

一瞬、教室を支配した沈黙を打ち破るように、まつもとこうたが甲高い声とともに反撃ののろしを上げた。

「フィルダースチョイス！」

「何よそれ」

「野球の言葉だよ」

「そんなの聞いたことない」

「それなら、さっきのいかんせんだって聞いたことない。それとも何だ？　やっぱりイカせんべい、って言ったのか？」

「ちがうわよ、それにだいたい、わたしが好きなのはイカせんべいじゃなくって、エビせんべいよ」

「知るかよ、そんなこと。エンタイトルツーベース！」

「いかんとも！」

もはや、すずちゃんとたくんそっちのけで、さながら場外乱闘の様相を示しつつ、二人のやりとりがいよいよ激しさを増したとき、スピーカーから始業のチャイムが鳴り始めた。

「あれ、どうしたの？　みんな席につかないのかな？」

いきなり背後から響いた大きな声に、みんなが驚いて振り返ると、たくさんの教材を胸に抱え、すでに先生が前のドアから顔をのぞかせていた。

「チャイムが鳴ったとき、席についていない人、先生、黒板に大きく名前を書いてしまおうかな」

と先生がおどかすと、それまでの熱気は瞬時に空中分解し、誰もが蜘蛛《くも》の子を散らすように各自の席に戻り始めた。かのこちゃんも慌てて踵《きびす》を返そうとしたら、急に腕をつかまれた。驚いて振り返ると、すずちゃんの細い手が袖《そで》を引っ張っていた。

「ありがとう」

目が合うと、すずちゃんは小さい声で告げた。

「ううん」

驚きで目をせいいっぱい見開いて、かのこちゃんは首を横に振った。

「さあ、チャイムが終わりますよ」

と先生はニヤニヤしながら、チョークを頭の上に掲げた。かのこちゃんもすずちゃんもみんなも、いっせいに悲鳴を上げて自分たちの机を目指し戻っていった。

＊

学校から帰ってくるなり、かのこちゃんはお母さんに訊《たず》ねた。

「ねえ、茶柱って何？」

ちょうど、お昼ごはんにチャーハンの準備をしていたお母さんは、

「あら、学校で習ったの？」

と振り返って、ネギを切ったあとの目尻《めじり》をエプロンの端でぬぐった。

「茶柱が立つとね、ラッキーなの」

手元のお椀《わん》の卵を素早くかき混ぜながら、お母さんがその意味を教えてくれた途端、

「見たい！」

とかのこちゃんは叫んだ。

「じゃあ、そこの急須《きゅうす》にお湯を入れてちょうだい」

かのこちゃんはすぐさま食卓の急須を手に、ポットの前に向かった。ふたを開け、急須の底に茶葉がうずくまっているのを確認し、ポットの給湯ボタンを押した。

催促《さいそく》がましいかのこちゃんをなだめつつ、お母さんは出来上がったチャーハンを皿に取り分け、二つの湯飲みにお茶を注いだ。

「どう？」

ゆらゆら揺れるお茶の表面をのぞき、かのこちゃんは無念の表情で首を横に振った。フウと吹きかけても、スプーンでかき混ぜても、いっこうに茶柱は立ってくれない。

「最初に立ってなかったら、もうダメよ」

「本当に立つの？」

「たまにしか立たないから、ラッキーなの」

「お母さんは見たことある？」

「もちろん」

「それって何回くらい？」

「数えたことないから、ちょっとわからない」

「何杯も飲んだら、いつか出るかな」

「そりゃあ、出るわよ」

「ねえ、お母さん」

「なあに？」

「もう一杯、お茶飲まない？」

結局この日、お母さんは寝るまでに、かのこちゃんにつき合って十杯ものお茶を飲む羽目になった。

晩ごはんの席で、かのこちゃんはお父さんに訊ねた。

「ねえ、いかんせんってどういう意味？」

どうしたの急に？　と戸惑いつつもお父さんは、

「残念ながら、という意味だよ」

と答え、ヒメらっきょうをかじった。

「残念ながら、ってどういう意味？」

「ええと、残念だけれど、という意味だよ」

ふうん、とことさらに何度もうなずき、

「お父さん――いかんせん、を使って文を作ってみてください」

とかのこちゃんは学校の先生のしゃべり方を真似して、皿のカレーをスプーンで口に運んだ。

そうだなあ、とお父さんはおたまを手に食卓の中央の鍋《なべ》をのぞきこむと、

「お父さんは辛いカレーが好きなんだけれど、いかんせん、今日はこの甘口のルーしかありません。そこで、お父さんはカレーに七味唐辛子をかけて、味を加えてみようと思います」

と答え、ごはんの上にたっぷりルーをかけた。

「なるほど」

かのこちゃんはいかんせんのすべてを把握した。

遡《さかのぼ》ること半日前、下校途中の昇降口で、靴を履き替えているところへ、

「いかんせん、って何？」

といきなりすずちゃんが訊ねてきた。

かのこちゃんは大いにうろたえたが、何とかそれを顔に出すのを抑えた。単に音がいいから記憶していただけで、いかんせんの意味などまるで知らない。ようやく今朝の一件を通じ、短く言葉を交わすことができたばかりなのに、ここで自分の無知をさらけ出し、すずちゃんを失望させるわけにはいかない。結果、

「あ、しまった。忘れ物しちゃった」

と大げさに声を発し、逃げるようにその場を立ち去ったかのこちゃんだった。

教室手前の廊下に貼り出された、二年生が描いたチューリップの絵を眺めて時間をつぶしてから昇降口に戻った。靴箱の前にすずちゃんの姿は見えなかった。ホッとすると同時に、とても残念な気持ちが重なって湧《わ》き起《お》こった。

というのも、朝方すずちゃんがたくくんとの勝負で口にした「茶柱」という言葉に、かのこちゃんのアンテナが猛烈に反応していたからである。授業中もお茶の缶を縦に積んでトーテムポールのようにしたものを想像したが最後、どこまでも空想の羽が広がって、先生の言うことがまるで耳に入らず困った。それゆえ、帰宅するなり、矢《や》も楯《たて》もたまらずお母さんに訊ねたのである。

カレーをたいらげたあと、お父さんも協力して何杯かお茶をおかわりしてくれたが、茶柱は最後まで現れなかった。

「番茶だと出やすいと聞くけどね」

がっかりするかのこちゃんをなぐさめるように、お父さんは「明日《あした》、番茶を買ってくるかな」と言ってお風呂《ふろ》に向かった。

しかし、翌朝かのこちゃんは思いもしない場所でそれを発見することになる。

朝ごはんを終え、やはり湯飲みに茶柱が現れなかったことを残念に思いながら、かのこちゃんはトイレに向かった。

快適にお通じを終え、さあ流そうかと便座から立ち上がりふと下をのぞいたとき、レバーにかけた手の動きが止まった。

かのこちゃんはまじまじと便器をのぞきこんだ。

トイレのドアを開け、お父さんとお母さんを、ほとんど叫ばんばかりの勢いで呼んだ。

「どうしたの？」

何事かと駆けつけてきたお父さんとお母さんに、かのこちゃんは興奮で赤らんだ顔を向け、ひたすら洋式の便器を指差した。

「何か落としたのかい？」

「ううん、ちがう」

「なかなかくさいね」

「早く、見て！」

かのこちゃんの剣幕に押され、お父さんとお母さんは訝《いぶか》しげな表情ながらおずおずと便器をのぞいた。

「これはまた……」

とひと目見るなり、お父さんは驚嘆のあまり絶句した。

「まあ、たいへん」

とお母さんはお父さんの肩の向こうで、口を押さえ笑っていた。

かのこちゃんの家のトイレは洋式である。

その便器にはたっぷり水が湛《たた》えてある。タンクの性質なのか、その水かさは平均的な洋式トイレのそれよりも少し高い。その水面にたった今、かのこちゃんが放ったばかりの「大」が漂っていた。しかもその「大」は、見事なまでに下方向へ垂直に浮かび、まるでシンクロナイズドスイミングの立ち泳ぎする選手が如く、まさしく「茶柱」の体を成していたのである。

それからしばらく、かのこちゃんとお父さんとお母さんは、代わる代わる便器の上に顔をのぞかせては、口々に感想を言い合った。

「つまり、これは茶柱ならぬウンコ柱だね」

とお父さんは深い声色で総括《そうかつ》した。

「もう、流すわよ」

とお母さんはその表現に眉《まゆ》をひそめつつ、トイレタンクのレバーを引いた。

いつもより五分遅れて、かのこちゃんはランドセルを背に家を飛び出した。この出来事をあとひとり、どうしても伝えなければならない相手がいた。言うまでもなく、「茶柱」という言葉を教えてくれたすずちゃんだ。

教室に入るなり、かのこちゃんは一目散にすずちゃんの机を目指した。席で静かに連絡帳をめくっていたすずちゃんは、猛然と接近するかのこちゃんの形相に、一瞬ひ

るんだ表情を見せたのち、

「どうしたの？」

と少し身構える調子で訊《たず》ねた。

「茶柱！」

「え？」

「ううん、お茶を淹《い》れたわけじゃないから、茶柱じゃないか。でも、茶柱！」

かのこちゃんは机の両端に手をつき、上半身を前方に乗り出して、一気に語り始めた。昨日、はじめて「茶柱」という言葉を聞いたこと、家に帰ってお母さんにその意味を教えてもらったこと、家のみんなでお茶を飲み続けたけど一本も茶柱が立たなかったこと、朝食でも駄目だったこと、でもそのあとのトイレで何ということかそれを発見してしまったこと、確かに茶柱とはちがうかもしれないけど、でもやっぱり茶柱だと思うこと――。

「あ、そうそう、いかんせんの意味はね……」

トイレで見たものについて詳細な報告を終え、続いて昨日の質問の回答に移ろうとして、かのこちゃんはふとすずちゃんの表情をのぞいた。

思わず次の言葉を忘れてしまうほど、すずちゃんは目をまん丸に見開いて、かのこちゃんを見つめていた。

すずちゃんは突然、立ち上がった。

勢いに押され半歩後退《あとずさ》ったかのこちゃんの前で、まるで万華鏡のようにすずちゃんの表情が、その顔色とともにめまぐるしく変わった。最後は真っ赤に染まったかと思うと、乱暴に背を向けた。かのこちゃんが声をかける間もなく、走って教室から出て行ってしまった。

主のいない机の前で、かのこちゃんは呆然《ぼうぜん》と立ち尽くした。

やはり、朝一番の話題にはお上品じゃなかったかしら、と今さらながら省みたが、もちろんあとの祭りだった。

＊

どうやら、かのこちゃんはすずちゃんを完全に怒らせてしまったらしい。

この朝の出来事を境に、すずちゃんはかのこちゃんに対し、この上なく明確な拒絶姿勢を示すに至った。かのこちゃんが少しでも近づく素振りを見せると、まるで磁石が反発するかのように席を立ってしまう。教室の移動の最中に、偶然視線が合っただけで、真っ赤な顔になってぷいとそらしてしまう。「でんきがかり」の仕事を終え、昇降口にすずちゃんを追おうものなら、グラウンドを全速力で走って逃げられた。

まさにとりつく島がないすずちゃんの様子に、かのこちゃんはすっかり悄気《しょげ》返ってしまった。

茶柱への情熱はすっかり影を潜めた。せっかくの日曜日も、かのこちゃんは茶室の畳でごろごろ寝転がって無為に過ごした。週明けの図工の授業で使うため、お父さんが買ってきてくれた新しいクレヨンの箱も、白紙のスケッチブックの隣に放りっぱなしである。エサやりのために庭に出ても、

「ねえ、玄三郎。代わりに学校に行ってよ。あ、玄三郎はおじいちゃんだから駄目か。なら、マドレーヌが行きなよ。もうすぐ、給食が始まるから、たくさんごはん食べられるよ。ウチの学校の給食、とてもおいしいらしいよ」

とどこまでも元気がない。

決裂の朝から、一週間が経った。

雨降りのため黄色い長靴で登校したかのこちゃんは、昇降口で靴の履き替えに苦戦していた。雨の日の昇降口はしめったにおいがして息苦しい。ようやく片方を脱ぎ、残る左足にとりかかろうとふたたびしゃがみこんだとき、

「かのこちゃん」

と頭の上から急に声がかかった。

あい、と顔を上げると、目の前にすずちゃんが立っていた。

「わたしも立った」

視線が合うなり、何だかせっぱ詰まった様子ですずちゃんは口を開いた。

「え？　何が？」

「茶柱」

そう言うなり、すずちゃんの顔いっぱいに笑みが広がった。短い奇声を上げたかと思うと、いきなりかのこちゃんの手を取った。混乱するかのこちゃんに向かってすずちゃんは、

「わたしも立ったのトイレで。ウンコ柱！」

と昇降口じゅうに響き渡る大きな声で告げた。

腰を落としたままポカンと口を開けるかのこちゃんの両手を固く握りしめ、すずちゃんは勢いよく語り始めた。この一週間、かのこちゃんから「茶柱」の話を聞かされたせいで、くやしくてくやしくて仕方なかった、と。

「くやしい？　何が？」

「そんな楽しいものを、先に発見されたことが」

当然でしょうと言わんばかりに、すずちゃんは大きく鼻の穴を開いた。

かのこちゃんから「茶柱」の報告を受けた瞬間、すずちゃんの競争心はめらめらと炎を上げ燃え始めた。しかし、なかなか結果が出ない。そうなるとなおさらくやしく

て、とてもかのこちゃんと平気で話すことなどできなかったのだという。

「じ、じゃあ……朝早くに教室で出会ったあと、全然話そうとしてくれなかったのは?」

ああ、それ、とすずちゃんは急に恥ずかしそうな笑みを浮かべ、「ごめんね」とつぶやいた。

「鼻てふてふを見られたから」

「てふてふ?」

「ちょうちょのこと」

刹那《せつな》、かのこちゃんの脳裏に、両の親指を鼻につっこみ、他の四本をちゃんとそろえて羽ばたかせるすずちゃんの絵が蘇《よみがえ》った。

「あんなの人に見られたら、恥ずかしいに決まってるじゃない。あのときは、頭が真っ白になっちゃった」

「全然、恥ずかしくないよ」

むしろ素敵だよ、とかのこちゃんはどこまでも真面目な表情でうなずいた。

「ほら」

かのこちゃんは左足に長靴を残したまま立ち上がると、両の親指を勢いよくそれぞれの鼻の穴につっこんだ。そして、残りの指でひらひらとした。

すずちゃんは目を丸くして、それを見つめた。

「どう?」

かのこちゃんは鼻声で訊ねた。

「とても上手」

湿気くさい昇降口で、しばらくの間、二人で鼻てふてふをした。それから、教室まで肩を並べて歩いた。かのこちゃんが改めて「いかんせん」の意味を伝えると、すずちゃんは「そんな難しい言葉知っているなんてすごい」としきりに感心したあと、

「そうそう、もう一つ、訊《き》いていい?」

と別の言葉について解説を求めた。

それを聞いたかのこちゃんは、

「それはたぶん――」

といったん声を止め、すずちゃんの顔をのぞいた。

「わたしたちのことだと思う」

「ふんけーの友が?」

「そう、ふんけーの友」

「確かに――〝フン〟つながりの友だちだもんね」

とすずちゃんがコロコロと笑ったとき、かのこちゃんはついにかけがえのない「刎《ふん》

頸《けい》の友」を得たのである。

＊

放課後、かのこちゃんの教室で、先生がひとり残って作業をしていた。

「はじめてのえ」

と記された紙を、先生は脚立を使って、壁のいちばん上の部分に貼った。その下に、クラスのみんなが二時間目の図工の時間に描いた絵を、順にピンで固定していった。

全員の絵を貼り終えたところで、隣のクラスの男の先生がふらりと教室にやってきた。

壁一面に広がったみんなの絵を、男の先生は目を細めて見上げた。

「最近あったいちばん楽しかった出来事を、好きなように描いてください」

という先生の言葉に、みんながクレヨンを使って描いた絵には、教室や、校庭や、ブランコや、水たまりや、友だちや、家の人や、車や、電車や、太陽や、花や、虹《にじ》が色とりどりに展開されていた。

端から端まで丁寧に眺めて回った男の先生は、最後の列で急に視線を止めた。

「何ですかね、あれ」

と訝《いぶか》しそうに男の先生は訊《たず》ねた。

「おや、あそこの絵も同じものを描いているのかな」

どれですか？　という声に、男の先生は「あれとあれです」と指で差し示した。

「本当だ。何でしょう」

二枚の絵はともに、輪っかのようなものを紙いっぱいに大きく描いていた。輪の内側は、鮮やかな水色のクレヨンで塗りつぶされている。さらにその真ん中には、茶色の太い棒のようなものが縦に浮かんでいた。「すずちゃん、こっちはかのこちゃん」と絵に添えられた作者の名を、先生が読み上げた。

「まるで抽象画みたいですね」

「ええ。でも、不思議と楽しそうです」

二人の先生はそれからしばらく二枚の絵を見比べ、それが何を表しているのか真剣に考えたけれど、結局最後までわからないままだった。

第二章　マドレーヌ夫人

いつの日から、一匹のメスのアカトラが、その名前に「夫人」と添えて呼ばれるようになったのか、今となっては定かではない。だが、その理由の一つが、「外国語を話すことができる」という点にあったことだけは疑いない。

もちろん、「外国語」だけではなく、人間の言葉を解し、また人間の書く文字まで読むことができる、ということも同じく賞賛に値する能力だったが、もっともこれは決してめずらしいことではない。実際に、キジトラの和三盆《わさんぼん》も、人と暮らすうち、文字は駄目《だめ》でも、話し言葉の半分なら自然と解するようになった。朝の集会には顔を出さないが、町内には他に二匹、人の文字を読む能力を備える猫《ねこ》がいるという話だ。

だが、犬に関しては別である。

そもそも猫は、犬の言葉のいっさいが理解できない。

どれほど言語能力の低い猫でも、ともに三カ月も暮らせば、人の言葉を最低十は識別できるようになる。だが、犬の言葉だけは、いつまで経っても駄目だ。毎日、飼《か》い主《ぬし》が仏壇《ぶつだん》の前で唱える般若心経《はんにゃしんぎょう》を聞くうち、完全にそれを諳《そら》んじてしまうほど耳のいい猫でも、同じく隣家で吠《ほ》える犬の声は、死ぬまで言葉として認識できない。どこまでも、単調で無粋な咆哮《ほうこう》としか聞こえない。

それゆえ犬の言葉は、猫の世界で「外国語」と表現される。

ちょうど一年前、朝の集会の場で、

「最近、『外国語』を聞き取る猫がやってきたって話だよ」

とぶちのキャンディーが第一報を伝えたときも、居並ぶ猫たちは誰もその言を信じなかった。犬の言葉を解するなど、猫たちにとってはアリの歌を聞き取ることと同義だったからである。ほとんど黙殺に等しい反応が空き地に充満するなか、

「連れてきなよ」

と無邪気に提案の声を上げたのは、好奇心旺盛《おうせい》な三毛のミケランジェロだった。

「とんでもない」

キャンディーは即座に拒絶した。

「外国語を話すって言ったばかりじゃないか。その猫、犬といっしょに暮らしているんだよ。何でもときどき犬小屋で寝てるって話さ。そんなところに誰が近づく？　まっぴらゴメンよ」

「どこなの、場所は？」

「ここから北に行った、四つ辻《つじ》の角の古い家よ。むかしはよく、まわりでネズミが捕れたっけね。年を取った柴犬《しばいぬ》がいるところだよ」

「じゃあ、私が行く。あの犬、大人《おとな》しいから、あまり苦手じゃないし」

「物好きね、ミケランジェロは」

と隣で和三盆が皮肉混じりに声を放った。

「あら、あなたは確かめたくなくて？」

和三盆はしばらくミケランジェロの陽の光を受け、縦に細長く走る瞳《ひとみ》をのぞいていたが、「まあ、否定はしないけど」とふんと鼻を鳴らし視線を外した。

三日後、ミケランジェロに連れられて、一匹の猫がやってきた。

「きっと、そういう妙な噂を立てられる輩《やから》は、血統書つきのスラリとした洋猫だろう」

と猫たちが勝手に思い描いていたところへ、実際に登場したのは、ごくごく平凡な和猫のアカトラだったものだから、猫たちはいっせいに拍子抜《ひょうしぬ》けし、また同時に強い疑念を抱いた。

「本当にあなたは外国語を話せるの？　失礼、だって全然そんなふうには見えないものだから」

皆の内なる声を代表して、和三盆がどこまでも無遠慮に質問を放った。

アカトラの猫は、とても落ち着いた声で、

「犬の言葉がわかるわけじゃない。主人の言葉だけわかるの」

と答えた。

「主人？」

と訝《いぶか》しむ和三盆に、アカトラの猫は夫の名前を告げた。

「あ、あなた、犬と結婚してるの？」

完全に裏返った甲高《かんだか》い声で、和三盆は訊《たず》ねた。それを追いかけるように、周囲からいくつも悲鳴が上がった。

「何かおかしいかしら？」

「ち、ちょっと待って、相手は犬よ？」

「どうして？　お互い言葉が通じるんだから、別にかまわないと思うけれど」

「かまわないって……だって、別の種よ。子どももできない」

年配のメス猫がたまらないといった様子で、横から口を挟《はさ》んだ。

「ええ、もちろん。でも、お互いが望むなら、いっしょに暮らしてもいいでしょう」

アカトラの猫があまりに当たり前のように、自信を持って語るものだから、居並ぶ面々は一瞬「それもそうかな」とつい黙りこんでしまった。だが、「いや、そんなはずない」と思い返すのも早く、

「そ、そんなの出鱈目《でたらめ》よ。そもそもあり得ないわ。ええ、信じられるものですか」

と口々にわめき立てた。

「どうしたらいいかしら？」

周囲の声にも動じることなく、アカトラの猫は静かに言葉を発した。

「どうしたらって？」

和三盆は動揺を押し隠すように、あえて冷やかな眼差《まなざ》しで返した。

「お願いがあるの」

「お願い？」

「みなさんの一員として、この集会に加えていただけないかしら？　こちらの方《かた》が、ここに来る途中、ずいぶん気持ちのいいメンバーがそろっていると話してくれたわ。確かに、みなさん全員、気品あるメス猫だし、それに、ここはとてもいい場所」

とアカトラは空き地を一望したのち、背後に控えるミケランジェロのところで視線を止めた。ミケランジェロは「いやあ」と照れ、他の猫たちは「ほう」といっせいに声を洩《も》らした。とにかく猫は、ほめられることに滅法弱い。アカトラのひと言で、外国語のことはすっかり脇《わき》に追いやられ、急に親和の空気が空き地に広がりかけたとき、

「条件があるわ」

と和三盆が鋭い「待った」の声を上げた。

「まだ話は済んでいない。そんな、『できるの』のひと言だけで外国語を話せることにされても、納得できない。ちゃんと、証拠を見せてくれないと」

「まあ、ずいぶん意地悪なのね、和三盆」

「何言ってるの、元はと言えば、あなたが言い出したことじゃない。そうでしょ？ミケランジェロ」

と三毛猫へ険しい視線を送ったのち、和三盆は「どうかしら」とアカトラに向き直った。

「いいわ」

「じゃあ、こういうのはどう？」

それまで黙って事の推移を見守っていたぶちのキャンディーが、おもむろに声を上げた。

「私たちの集会仲間でもある、シャムの茶子《ちゃこ》がもうすぐお産なの。おそらく明日《あした》かあさってには生まれるわ。あまり身体が丈夫じゃなくて、しかも初産なものだから、とても心配なのよ。なのに、隣のバカ犬ときたら、四六時中吠《ほ》えて、茶子をおどかすの。安全にお産に集中するために、何かあなたができることはないかしら？」

ぶちの額に走る、白と黒との境界線をしばらくの間じっと見つめ、

「わかったわ」

とアカトラは抑えた声で答えた。

「いいの？　そんな安請《やすう》け合《あ》いして。隣のバカ犬って、ここらでも有名な筋金入りの

単細胞シェパードなのよ」

と心配するミケランジェロに「大丈夫」と返し、

「それではみなさん、いったん失礼するわ」

とアカトラは空き地から去っていった。

三十分後、町のある一郭《いっかく》で、犬が急に吠え始めた。

ほどなくその周辺に住む犬たちもいっせいに騒ぎ始め、まるで水紋《すいもん》が広がるように、次々と隣の区画へ伝播《でんぱ》していった。犬たちの鳴き声は、町の外れへと放射状に連鎖し、そしてぱたりとやんだ。

それから三日間、町じゅうの犬がいっさい吠えることをやめた。その静寂の時間は、きっかりシャム猫の茶子が難産の末に五つ子を産み落とすまで辛抱強く続いたのである。

翌朝、メンバーが全員集まった空き地にアカトラの猫がやってきた。

「いったいどうやったのか、教えておくれ」

開口一番訊ねるキャンディーに、

「何も特別なことはしてないわ。夫はあまり大きな声が出せないから、私が伝えた内容を、ちょうど散歩で家の前を通りがかったゴールデンレトリバーに知らせたの。それを一気に町じゅうに広めてもらっただけよ」

とアカトラは淡々と答えた。

「あの連中を三日も黙らせるなんて、ずいぶん信望あるご主人なのね」

と和三盆はつぶやいて、

「この前はたいへん失礼したわ。私たち、あなたをぜひ仲間として招待したく存じます。あと、無事母になった茶子からの感謝の言葉も、いっしょにお伝えしておくわ」

と塀の上から飛び降り、アカトラの前に進み出た。

「あなたのお名前を教えていただけるかしら」

と丁重に和三盆は訊ねた。

アカトラの猫はほんの短い間、思案げに首を傾けたのち、

「マドレーヌ」

と答えた。

*

「ねえねえ、ちょっと起きてくれない？」

と呼ぶ声に、茶室の縁側でまどろんでいた夫人が不承不承まぶたを開けると、案の定、目の前にかのこちゃんの顔があった。

「これが、マドレーヌ」

とかのこちゃんは隣にいる女の子に右手を差し出し、夫人を紹介した。

へえ、と左右の耳の後ろから、短い三つ編みが跳ねる女の子が、膝《ひざ》を屈《かが》め夫人をじろじろと眺め回した。

「どう？」

「ちょっと、不細工かもね」

「撫《な》でてもいいよ」

「ううん、遠慮しとく」

マドレーヌ夫人は首をもたげ、女の子を睨《にら》み上《あ》げた。マドレーヌ夫人はよく「不細工ね」と人間に言われる。猫の世界ではまた美的基準もまるでちがうゆえ、さほど真剣には受け取らないが、それでも不愉快な物言いには変わりない。

上目遣いで視線が合うと、女の子は「緑の目をしてる！」と甲高い声を上げた。

「昼間だから、黒目のところが細くなるの」

とかのこちゃんは夫人の顔を両手で押さえ、歌舞伎《かぶき》役者の隈《くまど》取りのように後ろに引っ張った。これをやられると、ヒゲがすべて押さえつけられるので気色悪くて仕方がない。

手の力が抜けると同時に、夫人は急いでかのこちゃんから逃れ、縁側の端に場所を移した。

「それでこっちが、玄三郎《げんざぶろう》」

かのこちゃんは庭の隅へ向かい、犬小屋の前で立ち止まった。

「え、犬もいるの？」

「いるよ」

「猫とケンカしないの？」

「しないよ。玄三郎はオスで、マドレーヌはメスだから、夫婦みたいに仲良しだよ」

女の子はかのこちゃんの背後に回り、

「小屋のなかにいるの？　吠えない？」

とおそるおそるのぞきこんだ。

「全然、吠えないよ。玄三郎、年だから」

「寝てるね」

「暑いときは、ほとんど寝てるよ。撫でてもいいよ」

「ううん、遠慮しとく」

犬と猫の紹介を終え、かのこちゃんは玄関に向かい、

「お母さん、すずちゃんが来たよ！　お茶会だよ！」

と二人して家の中に入っていった。

縁側にて、夫人は身体を起こし、あくびと同時に大きく伸びをした。ふたたび腰を落とし、松の幹に張りついて鳴きわめく油蟬《あぶらぜみ》を見上げた。右脚で顔を洗いながら、最近、かのこちゃんが何かとうるさかったのはこれのためだったのか、とようやく合点した。

ここ数日、かのこちゃんは庭にエサやりや、水の交換に来るたび、

「ねえねえ、マドレーヌ。今度、友達をお招きすることになったの。すずちゃんていう子なんだ」

「あのね、玄三郎。すずちゃんが一回でいいから、お茶会をやってみたいなあ、って言ったの。うちならできるよ、って教えたら、すずちゃん、おおよろこびで。お母さんにすずちゃんをご招待して茶室使っていい？　って訊《き》いたら、いいわよって言ってくれて」

「どうしてお茶会をしようって話になったかというとね、この前、学校の図書室でやってた夏の図書学級で、先生が『赤毛のアン』を読んでくれたの。そこにお茶会のシーンが出てきて、とても楽しそうだったんだ。知ってる、マドレーヌ？　外国にもお茶会って、あるんだよ。お茶会のこと、英語でティー・パーティーって言うんだよ」

などとさんざん吹きこんでいたからである。

夫人はお茶会なるものを知らなかったので、あとで「何です？」と玄三郎に訊《たず》ねた

ら、

「そこの茶室で、お茶を飲むんだよ。死んだばあさんが、お茶の先生だったから、よく人を集めてやっていた」

と答えが返ってきた。

「お茶を飲むためだけに、先生？」

「ああ、飲む前にあれこれやることがあるんだよ」

「変わったことをするのね」

「人間のやることは、何もかも変わってるよ」

夫とのやりとりを思い返しながら、マドレーヌ夫人は少しの好奇心とともに、縁側からガラス越しに中をのぞいた。しばらくして、かのこちゃんが、続いてすずちゃんと呼ばれた女の子が茶室に入ってきた。かのこちゃんは庭に面したサッシ窓を開け、部屋に空気を呼びこむと、

「あ、すずちゃん、そこの座布団使って」

と部屋の隅に積まれた座布団を指差した。

しかし、すずちゃんは入り口のふすまに手をかけたまま、少々戸惑っている様子である。

「どうしたの？」

とかのこちゃんは縁側に屈みこみ、夫人のあごの下を指でくすぐりながら顔を向けた。

「ここで……お茶会するの？」

「そうだよ、茶室だよ。ほら、あそこに蛇口《じゃぐち》があるでしょ。おばあちゃんがいたときは、お湯を沸かす釜《かま》もあったんだけどね」

すずちゃんは依然、何か引っかかっているような表情のまま、室内を見回した。

「これって、畳に座ってやるんだよね」

「そうだよ。お座布団、好きなの取ってください」

かのこちゃんの言葉にすずちゃんは一歩足を踏み入れるも、すぐさま動きを止め、

「あのさ――アンって外国の人だよね」

とより慎重な口ぶりで訊ねた。

「そりゃ、そうだよ。出てくる人、みんなカタカナだったもん」

「じゃあ、アンの国にも、こんな部屋あったのかな――？」

すずちゃんの鋭い指摘に、かのこちゃんは一瞬、夫人のあごの下で指の動きを止めたが、

「あるよ」

と力強い声色とともに、壁の掛け軸を指差した。

「ほら、中国にだってあるもん」

これ、中国の絵なの？　と今度は興味を惹《ひ》かれるがまま、すずちゃんは部屋を一気に横断して床の間の掛け軸に顔を近づけた。

「うん、お父さんがこの傘《かさ》は中国の傘だって言ってた。着ている服も何だか中国っぽいし。だから、中国だよ。ほら、この後ろの建物、みんな畳に座ってお茶を飲んでるでしょ？」

「本当だ。あ、お馬さんがつながれてる」

「中国にあるなら、アンの国にもあると思う」

なるほどね、と腕を組んでしばらく黙考したのち、すずちゃんは「アンの国にもあるね」と納得の表情でうなずいた。

マドレーヌ夫人は縁側に身体を横たえ、伸ばした前脚にあごをのせながら、二人の女の子が茶会の準備を進める様子を見守った。すずちゃんが座布団を二枚敷いたところへ、お盆の上に菓子皿と急須《きゅうす》を載せて、かのこちゃんが危なっかしい足取りで部屋に入ってきた。

座布団から腰を上げ、手伝おうとするすずちゃんを、

「いやいや、結構。お客人はそのままにしてくだされ」

とかのこちゃんは制し、二枚の座布団の中央に、慎重にお盆を置いた。

「では、茶会を始めるでござる」

すずちゃんの正面に座り、かのこちゃんは改めて威儀を正した。

「こちらにお菓子を用意したでござる」

「サンキューでござる」

「お暑いでござるか？」

「ちょっと暑いでござる」

「ならば、扇風機をオンにするでござる」

「かたじけないでござる」

お盆を取りに行く前、かのこちゃんは「先生が読んでくれた本でアンたちがやったみたいに、おとなのお茶会にしよう。アンたちに負けないくらい、しっかりしたおとなの雰囲気で行こう」とすずちゃんと打ち合わせしていた。どうやらその「しっかりしたおとなの雰囲気」を醸《かも》し出《だ》す秘訣《ひけつ》は、とにかく「ござる」を用いることに落ち着いたらしい。

「おや、このお皿のお菓子は何でござるか？」

「これはマドレーヌでござる」

「おお、マドレーヌとな」

「お母さんが焼いたでござる。お母さんはマドレーヌを焼くのが得意でござる」

では、失礼、とすずちゃんが一つ手に取り、ぱくりといった。

「わ、おいしい。いえ、グッドでござる。ふかふかでござる」

「本当？　よかった。お母さん、すずちゃんのお口に合うかどうか、ってとても心配していたんだよ。うれしい。いえ、祝着至極《しゅうちゃくしごく》にござりまする」

二人はマドレーヌを頬張《ほおば》り、急須から注いだお茶を「熱いでござる、熱いでござる」とすすった。マドレーヌ夫人はその光景を眺め、何と茶会とは妙なものか、と驚いた。たかが皿一枚に載った菓子を食べ、一杯のお茶を飲むためだけに、人間はわざわざこんな部屋をしつらえるのか、と大いに呆《あき》れた。

「そういえば、はばかりながら」

長い時間をかけて、お茶を飲み干したところで、すずちゃんは湯飲みを前に置いた。

「何でござろう、すずどの」

「マドレーヌといえば、そこの猫の名前もまた、マドレーヌでござる」

「さすが、すずどの。よいところに気づかれた」

かのこちゃんは皿に残った二つのマドレーヌの片方をつまみ、

「あれはアカトラという種類の猫なんでござるが、ほら、このマドレーヌと色が似ているでござろう――いや、これはちょっと焼き過ぎかもしれないけど」

と皿に残ったもう一つと取り替え、「こっちもちょっと黒いかな」とつぶやきつつ、縁側の夫人とその色を比べて見せた。

「去年のことでござる。ゴリラ……じゃない、えっと、いきなり雷が鳴って、雨が降るやつなんだったっけ――？」

「ゲリラ豪雨」

「そう！　ゲリラ豪雨があったでござる。そのとき、マドレーヌがどこからか、うちの犬小屋に逃げこんできたのでござる」

「まあ！　玄三郎ちゃんは吠《ほ》えなかったでござるか？」

「吠えなかったでござる。雷がやんで、マドレーヌが出てくるまで、玄三郎は外でじっと濡《ぬ》れて待っていたでござる」

「男でござるな、玄三郎」

「もう、おじいちゃんでござるが、玄三郎」

そこで二人はひと息挟み、最後のマドレーヌをそれぞれ平らげた。

「それから、マドレーヌはここにいるのでござるか？」

「うん、一週間経ってもどこにもいかないから、お父さんがうちの猫ということにしよう、と決めたでござる。名前をどうしようということになって、拙者《せっしゃ》がマドレーヌと色が似ているからマドレーヌにしようと言ったでござる。マドレーヌはお母さん得意のお菓子なのでござる」

「いい名前でござるな、マドレーヌ。あのきれいな毛並みにぴったり」

「ありがとうでござる」

それから二人は縁側に座布団を移し、膝《ひざ》から下をぶらぶらさせながら、蝉の合唱に負けじと四方山《よもやま》話に花を咲かせた。

「もうすぐ、一年生の夏休みも終わりでござるなあ」

「そうでござるなあ。あっという間でござった」

「宿題終わったでござるか？」

「ううん、全然。大大ピンチでござる」

拙者もでござる、と重いため息をついて、すずちゃんは隣で寝そべる夫人の身体をそっと撫《な》でた。先ほど毛並みをほめられたことがまんざらでもなく、夫人は黙ってすずちゃんの小さな指が背中を渡るのを受け入れた。

鎖がしゃらしゃらと流れる音に夫人が顔を向けると、犬小屋から昼寝を終えた玄三郎がゆっくり姿を現すところだった。

「もう、茶会は終わったのかい？」

と玄三郎はあくびをしながら訊《たず》ねた。

「ええ、終わったと思う」

「じゃあ、それは何をしているんだい？」

玄三郎の問いかけに、マドレーヌ夫人は真上に位置する二人の顔に首を向けた。

「わからない」

何のまねか、二人はそろって両の鼻の穴に親指をつっこんで、残りの指をひらひらさせていた。

「おかしな子たちだね」

と玄三郎が笑った。

「ええ、おかしな子たち」

蟬が鳴きやむまで、二人はずっと指をひらひらさせていた。それから、お風呂《ふろ》でどれくらいの時間、顔を水につけられるようになったか話し合った。その間、背中を撫でるすずちゃんの手の動きが存外心地よく、夫人はくやしいなと思いながら、少し居眠りした。

＊

空き地からマドレーヌ夫人が帰宅すると、ちょうど玄三郎が庭の隅で朝の用便を済ませていた。

「おはようございます。ただいま、帰りました」

「ああ、おはよう。今日も空き地に行ってきたのかい？」

形だけ土をかけ、玄三郎は身体をふるわせてから腰を上げた。

「ええ。でも、やっぱり同じ」

夫人は抑揚《よくよう》のない声で、ボウルに口を近づけ、羽虫が浮いている部分を避けて水をなめた。

「これからあの場所、どうなるのかしら」

「家が建つなら、すぐにでも工事が始まるだろうね。ここから二本隣の通りに、コリー犬のいる家があるだろう。あそこも以前、売地の札がなくなったその週のうちに工事が始まったんだよ。まだ、張り紙は残っているかい？」

「ぼろぼろになっているけど、道路沿いの立て札には、『分譲中』って書いてあるわ」

ふうむ、と鼻息をはいて、玄三郎はゆっくりとした足取りで赤いプラスチックのエサ皿に向かった。底にまばらに残ったドッグフードを口に含み、たまに「うん、うん」とうなりながら咀嚼《そしやく》した。

「痛いの？」

玄三郎の隣で、マドレーヌ夫人は心配そうに夫の顔をのぞきこんだ。

「あちこち痛いよ」

と老犬は笑った。

「残したらいいのに。きっと気づいて、やわらかいものにしてくれるわ」

「僕はこのドッグフードの味が好きなんだよ。缶のやつは、やわらかくても、どうも脂くさくていけない」

「でも――」

「一度、これを残して、缶のやつも残したら、ドッグフードをお湯でふやかしたものが出てきた。とにかく、あれは最悪だった。あんなものを食べさせられるのは、もう二度とゴメンだ」

よほどひどい味だったのか、絞《しぼ》り出《だ》すような声とともに、やはり「うん、うん」とうなりながら、玄三郎はドッグフードを少しずつ口に含んだ。

「ねえ、今まで食べたなかで、いちばんおいしかったのは何？」

そうだねえ、と玄三郎はあまり血色のよくない歯茎《はぐき》を奥までむき出しにして、

「赤身の生肉がいちばんよかったかな。どういうわけだか、死んだばあさんがある日突然、くれたんだ。『大明神が枕元に立ったお祝いだ』とか何とか妙なことを言ってね。やわらかいのはもちろんだけれど、脂も少なくて、でも味わいはあって――あれは実によかったな」

とドッグフードをカリカリ音を立てて砕《くだ》いた。

「また食べたい？」

「うん、ぜひ」

やせた尻《しり》から垂れ下がった毛並みのよくない尻尾《しっぽ》が、そのときのよろこびを思い出したのか左右にふらふら揺れた。

「そういえば、今日で一年になる」

と玄三郎は急に話を変えた。

「一年？　何がかしら？」

「きみがここに来た日からだよ」

玄三郎は空になったエサ皿を丁寧になめて、

「あの大雨の日からね」

とつけ加えた。のどの渇《かわ》きをいやしたのち、椿《つばき》の根元で香箱座りしていた夫人は、思わぬ指摘にすっかり慌ててしまった。意味もなく立ち上がると、椿のまわりをぐるぐると回った。焦《あせ》りからくる緊張をほぐすため、立ち止まり、大きくあくびした。

「ごめんなさい、気づかなくて」

「いいんだよ」

「でも、あのときは本当に驚いた」

「雷にかい？」

「雷はもちろんだけれど、それよりもあなたの言葉が聞こえたことに。あまりにも驚いて、雷の音も一瞬、聞こえなかったくらい」

へえ、そうだったのかい？　と笑いながら、玄三郎は隣の水を入れたボウルに移った。

「僕だって驚いた。だって、慌てて小屋に入ろうとしたら、いつの間にか猫がいる」

「まだ遠いと思っていたら、いきなり真上から雷が落ちてくるんですもの。滝のように雨も降り始めるし、塀から飛び降りて、狭いところへわけもわからないまま飛びこんでしまったの。おかしいわよね。においでわかるはずなのに。でも、あのときは必死だった」

椿の下にふたたびうずくまった夫人は、恥ずかしさをまぎらわせるように、せわしなく毛づくろいを始めた。

「どうしてあのとき、あなたは私を追い払わなかったの？」

「我々とちがって、猫の毛は水が苦手だからね。あんなどしゃ降りのなか、追い出すなんてできないよ」

「本当に？」

という疑い深そうな夫人の声に、

「どうして？」

と玄三郎は訊ね返した。

「あなた、最初に私を見て言った言葉、覚えていないでしょう」

玄三郎はボウルの水をすくい上げる長い舌《した》の動きを止めて、「ん？」と顔を向けた。

「困ったな、僕も雷が苦手なのに――って言ったのよ」

参ったな、と苦笑して、玄三郎は夫人に尻を向け、ボウルに鼻の先を隠してしまった。

「あんなに驚いたことは、これまでもなかったわ。だって、逃げ場もなく観念したところへ、いきなり目の前の犬が言葉を話しだすんですもの」

「僕だって負けていない。雨がやむなり、『お世話様でした』っていきなり猫がお礼を言うんだから」

「不思議ね。どうして私はあなたの言葉がわかったのかしら？」

「どうして僕はきみの言葉がわかったのだろう――ってお互い何度考えても同じことさ。結局はわからない」

玄三郎は頼りない足さばきで身体の向きを変え、日陰になっている塀際の土のくぼみに向かった。そこは鎖が届く範囲で、玄三郎がいちばん冷たさを感じることができる場所だった。玄三郎は大儀そうにくぼみに身体を横たえると、頭を土の上に寝かせた。一年前に比べ、明らかに肉が落ちたように思える脇腹には、うっすらあばら骨が浮いている。息を吸うたび上下する、皮の薄そうな脇腹の様子を、夫人はとても悲しい気持ちで見つめた。

「そういえば、キャンディーからあなたにお礼を伝えてくれるよう、ずいぶん前に頼まれていたこと忘れていたわ。隣の子犬は、すっかり大人しくなったそうよ。彼女、とてもよろこんでいた」

「それはよかった」

「どうやって静かにさせたの？」

「猫股《ねこまた》が出るよ、って言ったのさ」

「猫股？」

「おやおや、自分たちの話なのに知らないのかい？」

「そんな言葉、聞いたこともない」

「むかしはね、長生きしすぎた猫は尻尾の先が二本になって、人に化けると言われていたんだよ」

「尻尾が分かれるから猫股？　嘘《うそ》よ、そんな猫見たことない」

「もちろん、人間が勝手に作った話だよ。そのせいで、むかしは短い尾の猫が好まれて飼われたんだ。和猫に短尾《たんび》が多いのは、その名残《なごり》だよ」

　夫人は首をねじって、自分の尻尾を確かめた。夫人はれっきとした和猫のアカトラだが、その尻尾はひょろりと細長い。

「あなたは何でも知っているのね」

「年寄りだからね」

と玄三郎は笑った。

「じゃあ、キャンディーは猫股にされてしまったの？」

「散歩がてら壁越しに話した感じでは、まだ子どものテリアのようだったからね。あまりうるさいと、隣のおばあさん猫が化けて出てしまうよ、ここらじゃ猫股で有名なおばあさんだからね、ってちょっとおどかしたんだ」

「まあ、ひどい」

「でも、効いたんだろう？」

「うん。てきめんだったみたい」

でもこの話、キャンディーには言えないわ、と夫人はくすくすと笑った。だが、すぐさま神妙な調子に戻って、

「もう、朝の集会が中止になって一週間になる。和三盆やミケランジェロとも全然、顔を合わせる機会がない。とても残念だわ」

と嘆息した。

夫人は身体を起こすと、室外機の上に移動した。猫がその生涯のなかで、もっとも忠実に仕える相手は食欲でも性欲でもない。睡眠欲である。何せ猫は一日二十四時間

のうち、実に十六時間も寝る。平均十二年の生涯と計算すれば、起きている時間は四年にすぎない。寝てばかりいるから、「寝子《ねこ》」という名前がついたという話だ。

ゆえに、不意に訪れた眠気に夫人はあらがうことなく、

「話の途中で失礼。ちょっと寝るわね、おやすみなさい」

と夫に告げ、室外機の上に横になるや、すとんと眠りに落ちた。

一時間ほど経った頃だろうか、身体の下の室外機が急に動きだしたので夫人は目を覚ました。

身体を横たえたまま、思いのまま伸びをした。ついでにあくびをして、首を回しながら口を閉じたとき、ふと室外機から垂れ下がった淡い茶色の尾っぽが視界に映った。はじめ夫人は寝ぼけているせいで、もしくは、伸びの途中で肩《かた》が頬肉《ほおにく》を下から押し上げているせいで、焦点がブレているのかと思った。だが、伸びを終え、姿勢が元に戻っても、その眺めはいっこうに変化しない。

十分間、己の尻尾を見つめ続け、相も変わらない風景を前に、夫人は現実を受け入れざるを得なかった。

なぜか、尻尾が二本になっていた。

*

つい声を発したくなるところをグッと堪《こら》え、夫人はまず夫の様子を確かめた。

玄三郎は塀際のくぼみで丸まったまま、完全に寝入っている。

夫を起こさぬよう、気配を消して夫人は室外機から飛び降りた。身を屈《かが》めて小走りで庭を横切り、門扉の下を潜って外に出た。

道路に出たところでようやく振り返ると、尻尾《しっぽ》が二本、「V」字を描いて空を指していた。一本ずつの尻尾なら見慣れていても、二本並ぶとまるでそこに別の生き物がゆらめいているように見えた。こんな格好、絶対に夫に見られるわけにはいかなかった。

どうしたらいいのか、皆目《かいもく》見当がつかなかったが、とりあえず和三盆に相談してみようと思った。

和三盆はこれまでも不思議なものを見てきたそうだ。

たとえば「オスの三毛猫」である。

「オスの三毛猫は、この世に存在しない」

とは猫の世界の常識だ。実際に夫人も、三毛のオスに出会ったこともなければ、そ

の存在を噂に聞いたこともない。代々三毛の血統に生まれついたミケランジェロさえ、

「どれだけ産んでも、三毛のオスは産まれなかったねえ、ってお母さんが言っていたわ。お母さんはおばあちゃんから同じことを言われたそうよ。おばあちゃんはひいおばあちゃんから同じことを言われたそうよ。ひいおばあちゃんは、そのまたお母さんから……」

とその存在を強く否定していた。

だが、和三盆はオスの三毛と会ったことがあるのだという。普通に公園を歩いていたのだという。

「あり得ない、ってあなた方は言うけど、現に私たちの目の前には、外国語を話す猫がいるじゃない」

という反論により、和三盆は口うるさい空き地の仲間を黙らせることに成功したが、当の夫人ですら、いまだ「オスの三毛猫なんていない」と心密《ひそ》かに思っている。

そのとき、和三盆の家への最短コースを頭に組み立てていた夫人の鼓膜《こまく》を、

「ぎゃッ」

という人間の短い叫び声が乱暴に叩《たた》いた。

反射的に顔を上げると、五メートル前方に自転車がとまっているのが見えた。サドルにまたがる麦わら帽子の中年女性が、ぽかんと口を開けて夫人を見つめていた。

「ち、ちょっと何なの、この猫……どうして尻尾が二本あるの？」

と半分裏返ったような声が響いたとき、突然、夫人の視界がぐらりと揺れた。

「ニャア」

という妙な声が聞こえたと思った瞬間、夫人は肩や腰にいきなり大きなおもりをつけられたような感覚にとらわれた。

気がつくと、夫人の前から中年女性の姿が消え、代わりにその女性が立っていたはずの場所に、一台の横転した自転車と、一匹のアカトラがうずくまっていた。

視線が合った瞬間、アカトラは身を翻し、脇道へとあっという間に走り去ってしまった。

とても、とても——嫌な予感がした。

夫人はかのこちゃんの家の外飼い猫という立場上、本意ではないが首に淡い珊瑚《さんご》色の首輪をしている。その見覚えある珊瑚色の首輪をつけたアカトラが、たった今、目の前から走り去った。

夫人はふらふらとした足取りで、前方の細い道路が交差する四つ辻《つじ》まで進んだ。角のところに設置された、オレンジ色の柱の前で足を止め、カーブミラーを見上げた。

ゆがんだ風景を映し出す鏡面の真ん中に、間抜けな表情の、麦わら帽子を頭にのせた中年女性が映っていた。

夫人はおそるおそる足元に視線を落とした。先ほどから、何か目障りなものが視界の下のあたりを交互《こうご》するとは思いつつ、あえて確かめなかったのだ。

そこにはやはり、夫人の上半身を支える二本の足と茶色の靴が見えた。思いきって手を差し出してみたら、肉球のないのっぺりとした手のひらが現れた。

カーブミラーに背を向け、夫人は倒れた自転車の場所まで戻った。アカトラの猫は影も形も見当たらない。夫人は腰を屈め、自転車を起こした。別に放っておいたらいいのだろうが、根が律儀な性格なのだ。

「あら、かとりさん？」

そのとき背中に急に声を受け、夫人は驚いて振り返った。

そこには、夫人のとてもよく知っている人間の顔があった。

「やっぱり、かとりさん。今日って、サポーターの日ですよね。うちのかのこがお世話になります」

と買い物に行く途中らしき、かのこちゃんのお母さんから丁寧にお辞儀されたとき、賢明なる夫人は、

「ああ、自分は『かとりさん』という人間に化けてしまったのだな」

と素早く了解した。

＊

猫は水が大の苦手だ。

それは犬とちがって、猫の上毛《うわげ》が水を弾《はじ》かないという体質からくる性格なのだが、もちろん人に化けたところで、その苦手意識が解消されるはずもない。

にもかかわらず、現在、夫人は水のなかにいる。

しかも「プール」などという、絶望的なまでに周囲を水で満たされた環境で、なぜかかのこちゃんと先ほどから手をつないでいる。

事の運びはこうである。

かのこちゃんのお母さんと別れたあと、夫人は小学校に向かった。正確には、身体が乗ったこともない自転車にまたがり、勝手に漕《こ》ぎ始《はじ》めた。それからは何が何やらわからない。小学校の正門から校舎に入り、自転車をとめ、靴を履き替え、来校者名簿に名前を書き、「遅れちゃう、遅れちゃう」とつぶやきながら、せわしなく更衣室で着替えをした。

どうやら、夫人は「かとりさん」が本来すべき用事を済ませているらしい。

もちろん、夫人はかとりさんの用事になど何の興味もない。だが、どうしても自らの行動を止めることができない。気がつくと、急《せ》かされるように更衣室を出て、麦わら帽子を頭にのせたまま、校舎の外へ向かっている。まったく、妙な化け方もあったものである。そもそも、化けているという表現自体、正確ではない。むしろ、意識だけ人間にかっさらわれた、といったほうがぴったりくる。

先ほどから、「かとりさん」は遠慮なく学校内を歩き回っている。だが、「かとりさん」は先生ではないようだ。といって、保護者でもないと思われる。小学生の子どもを持つには年を取りすぎているからだ。そんなことを考えていると、どうやら、この小学校では、地域の人々を「サポーター」として招き、授業を補助してもらう仕組みを採っているらしい――という情報が、いつの間にか夫人の頭の片隅に用意されていた。夫人が知るはずもない事情なので、きっと「かとりさん」の知識なのだろう。今日はこれから三・四時間目の小学一年生の二クラス合同プール実習をサポートする約束で学校にやってきた、という情報もさらに加わる。かのこちゃんのお母さんが別れ際、

「もう、今日でプール納めなので、とても残念がっていました。あの子、プールが大好きなんです」

と言っていたこととも、これでつじつまが合う。

しかし、プールとは何なのか。夫人はプールという言葉を知らなかった。それだけ

に、いったん校舎から離れ、グラウンドの隅に設置されたフェンスに向かうときには、持ち前の猫の好奇心が少なからず騒いだ。だが、その時間はとても短かった。フェンス端の入り口をくぐり短い階段を上がるや否や、眼前に広がった、巨大な方形の穴になみなみと水が湛《たた》えられた風景に、夫人はそれこそ卒倒しそうなくらい驚いた。雲の晴れ間から燦々《さんさん》と注ぐ陽の光が、水面に反射していた。呆然《ぼうぜん》と立ちすくむ夫人の顔を、淡い水紋の陰影が遠慮なく照らしだした。

即座に夫人は逃げようとしたが、身体が動かない。それどころか、勝手にサンダルを脱ぎ、積極的に先生ともうひとりのサポーターらしき女性との打ち合わせの輪に入ってしまう。さらには、遅れてやってきた八十人近い小さな子どもたちといっしょに準備運動を始める。極めつけは、いっさいの躊躇《ちゅうちょ》なく、プールにざぶんと飛びこんだ。中肉中背の身体に、黒の長袖《ながそで》と短パンという水着、そして麦わら帽子という格好の「かとりさん」の暴挙に、夫人は周囲の目もかまわず悲鳴を上げた。

しかし、実際に口をついて出るのは、プールサイドに並んだ子どもたちに向かっての、

「はい、それじゃ一年一組と二組のみなさん、まずはプールのへりに、後ろむきになってしゃがんでください。それから、一本ずつ足を水の中に入れましょうね。あせらないで。ゆっくり、いいですね」

といった実に指導的なメッセージばかりである。

子どもたちが全員水に入ったのち、プールは夫人にとってまさしく地獄の試練の場と化した。唯一の救いはプールの水かさが、「かとりさん」の腰までしかなかったことくらいだったろうか。あとは歓声とともに水しぶきを散らし、突然複数で背中に飛びかかり、潜っては本気で足をすくう——明確な殺意とともに襲ってくる、子どもたちの脅威《きょうい》から、夫人は必死で自分の命を守らねばならなかった。

プールサイドに立って小型の拡声器を手にした女の先生が、

「もう、水には慣れましたか？　それでは、近くにいる二人でペアを作ってください。相手が見つかったら、左手と左手で握手して、こうやってその手を挙げる」

と呼びかけるまで、半死半生のまま夫人の戦いは続いた。その指示が行き渡ったところで、子どもたちはようやく落ち着きを取り戻し、夫人がひと息ついていると、

「じゃあ、おばさんとペア」

と視界の下から声が届いた。夫人が顔を向けると、そこにかのこちゃんがいた。

水泳帽をかぶり、濡《ぬ》れた顔を何度もぬぐうかのこちゃんは、驚くほど小さな身体をしていた。かのこちゃんは首の下まで水につかり、揺れながら華奢《きゃしゃ》な左手を差し出していた。

いつも見上げる相手を、こうも軽々と見下ろすのはとても妙な気分だと思いながら、

夫人は同じく左手を差し出した。もちろん、夫人の意志ではない。夫人の願いは、今すぐここを脱し、安心と安全に満ちたコンクリートの陸《おか》に上がることだけである。

「あら、私でいいの？　どうも、ありがとう」

夫人の声に、かのこちゃんはにっこり笑って、まわりの子どもたちと同じく、「かとりさん」の手をとって、先生に向かって掲げた。

全員がペアを作ったところで、先生は拡声器を通して語りかけた。

「今度は水をこわがらず、目を開ける練習。いいですか。絶対に、お友達の左手を離してはいけません。それじゃあ、左手はお互《たが》い握ったまま、残った右手で——」

ここで先生は一息入れたのち、

「相手にいっぱい水をかける！」

と大声で叫んだ。

ウソでしょ！　と心で叫んだときには、すでに遅かった。

夫人の横から後ろから、そして何より前から、いっせいに水しぶきが飛んできた。

夫人は完全にパニックになりながら、何とかその場に踏ん張ったが、かのこちゃんは右腕をヘリコプターの翼のようにぐるぐる回し、容赦《ようしゃ》なく水をかけてくる。普段は、天真爛漫《てんしんらんまん》な笑顔を振りまく飼い主の顔が、このときほど悪魔の形相に見えたことはない。あと十秒、タイミングが遅れていたなら、夫人は本当に失神していただろう。だ

が、すんでのところで先生の終了のホイッスルが響き、

「よくできました。じゃあ、また別の人とペアを組んでください」

と拡声器越しに告げた。新たな先生の指示に、「じゃあね」とかのこちゃんが手を離したとき、

「待って！」

と夫人は遠ざかろうとする、おさない手を反射的につかんだ。

「お願いがあるの」

何事かと、驚いた顔で振り返るかのこちゃんに、

「聞いてちょうだい。玄三郎さんのドッグフード、ちょっと固いみたいなの。ほら、玄三郎さん、最近あまり歯の状態がよくなくて、上手に嚙《か》めないのよ。でも、やわらかいものに替えられて、味が悪くなるのは嫌だって言うの。缶とかは絶対にダメって。むかしからあのドッグフードが好きなの。だから、もしも同じ味で、もう少しやわらかいものがあったら、それに替えてあげられないかしら。お願い、お父さんとお母さんに話してみて」

と一気に告げた。かのこちゃんは呆気《あっけ》にとられた表情で突然の夫人の発言を聞いていたが、

「う、うん」

とその剣幕に押されるようにうなずいた。

「ありがとう」

夫人はかのこちゃんの手を離した。かのこちゃんの水泳帽が遠ざかってようやく、夫人は自分の意志に従いものが言えたことに気づいた。勢いに乗って、プールから脱出しようと試みたが、やはり、まったく身体は動かなかった。

その後、いつ果てるともなく続く試練の時間をひたすら耐え抜き、どうにか正気を保ったまま、夫人は授業の終了を迎えた。整理体操を終え、子どもたちはシャワーが降り注ぐ、アーチ型のパイプのトンネルに向かい、夫人はこれ以上、水を見るのもおぞましいとばかりにプールに背を向け、出口を目指した。靴置き場でサンダルを履きながら、シャワーを最前列で浴びているかのこちゃんの姿を見つけた。先ほどとうって変わって、かのこちゃんはずいぶん元気のない、むしろ蒼白《あおじろ》い顔でシャワーを見上げていた。何かあったのかな、と少し気になったが、これ以上構っている余裕もなく、夫人は校舎に戻り、更衣室で着替えると、ほとんど逃げるように学校をあとにした。

＊

いったい、これは何の仕打ちなのだろう、と繰り返しながら、夫人は自転車のペダルを漕《こ》いだ。

夫から「猫股《ねこまた》」という言葉を聞いた途端、尻尾《しっぽ》が二本に分かれ、こうして人間に化ける羽目になった。和三盆あたりがこの話を聞いたら、澄ました顔で「人間の格好で好き勝手できるなんて、とても楽しそう」とでも言いそうだ。しかし、現実の人間の世界はとてつもなくおそろしい。まさしく怪談の世界だ。ついさっきのプールでの出来事など、ミケランジェロならほんのさわりの部分だけで、悲鳴を上げて逃げ出すにちがいない。

それに比べて、猫の世界はどこまでも平和だ。この町に来る前は、ときどき嫌なこともあったし、この町でも空き地の問題がある。だが、それでも、猫の暮らしがいちばんいい。

では、どうやって元の世界に戻るのか？　そろそろ現実に向き合う必要に迫られながら、夫人はふと前方に、道路際の塀に沿って進む、小さな四本足の生き物の姿を視界に捉《とら》えた。

ふらついた足取りで、アカトラの猫が数歩先の地面を見つめ歩いていた。まったくこちらの存在に気づく様子がない。そして、その尻《しり》からは、二本の尻尾が「V」字を描いて揺れていた。

遠目ながら、アカトラの首元に珊瑚《さんご》色の首輪を認め、また、この道がまさに、はじめて「かとりさん」に出くわした場所であることを了解したとき、夫人はこれからの展開を直感した。

おそらく、前方の猫と目が合ったとき、この身体は元に返り、化け猫はただの有閑《ゆうかん》猫へと戻る――と合点した瞬間、夫人はペダルに力をこめた。

猫はまだこちらに気づいていない。「かとりさん」の口が勝手に悲鳴を上げ、アカトラに気づかれる前に、夫人は脇道へとハンドルの向きを変えた。そのまま、視界から猫の姿が消えるのもかまわず、一目散に漕《こ》ぎ続けた。この身体を得たことで、まだすべきことが夫人にはあったのだ。

何度か角を曲がったところで、夫人は自転車をとめた。肩で息をつきながら振り返り、猫の姿が見えないことを確認した。

夫人は左右を見回して、町内での自分の位置を確かめた。こんな道の真ん中で堂々と立ち止まることなど経験がなく、落ち着かなかったが、行き先を定めるとふたたびペダルに足をかけた。

細い道を進み、右手の視界が開けたところで夫人は自転車を止めた。

そこは空き地だった。

九月に入ってまだ一週目である。本来なら、いまだ強い太陽の力を受け、鬱蒼《うっそう》たる緑が、空き地いっぱいにむせかえるほど豊かな香りを放っているはずだった。猫たちがこよなく愛する朝の集会の場として、その存在感を誇っているはずだった。

しかし、夫人の目の前に、緑の痕跡《こんせき》はいっさい見当たらない。

ただ見渡す限り、黒いビニールシートが地面を覆い尽くすばかりである。

夫人がこの空き地を知って一年、たまに不動産業者の人間の姿を見かけることがあった。来る顔はいつもちがったが、いずれも覇気《はき》のない若い男ばかりだった。側面のあちこちがへこんだ軽自動車で乗りつけ、空き地の入り口に、「現地説明会開催中」というのぼりを立て、日がな一日パイプ椅子《いす》に座り、待ちぼうけをくらっていた。ときには数人でやってきて、汗まみれになって草を刈ることもあった。猫たちは塀の上に並び、スーツ姿に鎌《かま》という奇妙な取り合わせを眺め、

「どうせすぐ伸びるのに」

と嘲笑《ちょうしょう》の視線を浴びせかけたものだった。

先週月曜日の早朝、これまで見たことがない大型のワゴン車が二台、空き地に駐《と》まった。車から降りてきた作業着姿の数人の男は後部ハッチを開けると、そこから黒くて太い筒状のものを引っ張り出した。

「何だろうね、あれ」

とミケランジェロが呑気《のんき》につぶやいても、誰も相づちを打ち返さなかった。どうせ人間がまた妙なことを始めた、とどの猫も関心なくその様子を眺めた。

男たちはドラム缶を縦に二本つなげたような筒を草の上に並べ、そのうちの一本を空き地の端まで運んだ。空き地の角の部分に到達したところで、ひとりの男が地面に屈《かが》み、もうひとりが塀に沿って横倒しになった筒《つつ》を転がし始めた。

この段に至っても、依然、猫たちは彼らの目的を理解していなかった。夫人も古タイヤの上でぼんやりと構え、続々と車の外に置かれる太い筒を眺めていた。しかし、ものも言わず筒を転がす男たちのあとに、真っ黒なビニールシートが広がるのを見たとき、猫たちは否応《いやおう》なく彼らの訪問の目的を思い知らされたのである。

人間たちが空き地のすべてを黒一色に染めるまで、ほんの一時間もかからなかった。その間、猫たちはまるで巨人によるペンキの塗り替え作業のように、空き地が黒のビニールシートに占拠されていく様をただ呆然《ぼうぜん》と見下ろすほかなかった。風にめくり上げられぬよう、男たちは念入りに、ビニールシートの重なり合った部分をクリップで土に固定した。草むらの放っていた開放的な気配は、新品のシートから漂う、化学的なにおいに取って代わられた。それは鋭敏な嗅覚《きゅうかく》を持つ猫たちには耐えられない無粋で悪趣味なにおいだった。

かくして、悲しいほど呆気なく猫たちは集会の場を失った――という、一週間前の出来事を思い返しながら、夫人は自転車から降りた。陽の光を真上から受け、不機嫌な顔つきで、すでに土埃《つちぼこり》が風紋を描くビニールシートの上を進んだ。

夫人は腰を屈め、地面とシートを固定するクリップを引き抜いた。手が汚れるのもかまわず、シートのへりをめくり上げると、まだ枯《か》れてはいないが、生気を奪われ死に絶える寸前の緑が姿を現した。

夫人は立ち上がると、シートをつかんだまま、ずんずん前に進んだ。砂や土がかすれた音を立ててシートを転がる音が、後ろから追いかけてきた。塀沿いに突き当たりまで引いたところで振り返ると、歩いた距離の半分のシートがめくれ上がり、弱った地面が顔をのぞかせていた。

夫人はクリップを次々と外し、シートをめくり上げた。玉の汗が頬からしたたり落ち、日焼け止めをたっぷり塗っていた顔をたいへんな状態にしても、シートを手に空き地を端から端まで何度も往復した。いったいどれくらいの時間が経っただろう。へとへとになった夫人がしなびた草の上に尻餅《しりもち》をついたとき、すでに空き地の八割の地面が露《あら》わになり、黒いビニールシートは海辺に打ち上げられた海草のように、ねじれ、隅に寄せられていた。

夫人は自転車に戻り、荷物からタオルを引っ張り出して顔をぬぐった。麦わら帽子をうちわ代わりにしてあおぎながら、学校からの帰《かえ》り途《みち》、道路脇にアカトラの姿を認めたときから、何もかも自分の思いどおりに動けていることに今頃になって気がついた。

さっきのチャンスを逃したことで、ひょっとしたら自分はこのまま一生「かとりさん」でいるのかもしれない、とふと思った。だが、あれこれ考える前にまだやることがある、と夫人は休む間もなく、また自転車にまたがった。

駅前からのバスも通る大きな通りをしばらく行くと、いくつかの商店が並んだ区画に出る。夫人は普段なら決して顔を出さぬ通りに進み、歩道に面した店の前で自転車をとめた。

これまで人間社会を観察してきた経験から、買い物の概念については知っている。ものを買ったら、お金を払う。お金は財布に入っている。

プールにいたときよりも大変な緊張を感じながら、夫人は自転車から降りた。もちろん、これまで買い物をした経験はない。だが、それよりも、自分の意志で、これほど積極的に人間に関わるのは今日はじめて、いや、生涯はじめてだということが、いやが上にも夫人の頬をこわばらせた。

にわかには覚悟が決まらず、店先でまごまごしているところへ、

「はい、いらっしゃいッ。奥さん、今日は何にしましょうかねッ」

と主人が威勢のいいかけ声とともに奥からやってきただけで、夫人はめまいがしそうなほどのプレッシャーを感じた。それでも、意識を強く保ち、ショーケースの前に進んだ。目当ての品を陳列された中から必死に探した。

眼球を限界寸前まで左右に動かし、ようやく見つけ出した品を、

「こ、こ、これ」

とガラス越しに指差すだけで、夫人の脇から汗が滴となって、つうっと皮膚を伝って落ちていった。のども痛いくらいにカラカラだった。

「量はどのくらいにしましょう？」

「え？」

相手からの質問など、まったく想定していなかったので、夫人は完全に言葉に詰まってしまった。それでも、必死で頭をふり絞り、イメージするままに拳《こぶし》を上げて示した。

「え？」

今度は店の主人が戸惑った表情で返してきた。

「だから、これくらいッ」

夫人は声を荒らげ、拳をショーケースの向こうの主人の鼻先にさらに突き出した。

「わ、わかりました」

気圧《けお》された様子でうなずき、主人は慌ててビニール袋に注文の品を入れると、値段を告げた。

荷物から夫人は財布を取り出した。「かとりさん」の財布はとても分厚かった。財

布のなかにお札は入っておらず、分厚いのはこれでもかというくらい差しこまれたカードと、ぱんぱんに膨らんだ小銭入れのせいだった。

夫人は小銭入れをのぞいた。幅の薄い、色とりどりの硬貨がぎっしり詰まっていた。ためしに一枚つまんでみた。「10」と書いてある。もう一枚つまんでみた。今度は「1」だ。人間は買い物のたびに、これらを組み合わせてお金を払うのか、と十進法の知識を有する夫人は素早く仕組みを理解したが、とても今、冷静に計算できるような状態にない。

財布を開いたまま固まってしまった夫人の視界の隅で、主人がレジ台を爪《つめ》でコツコツ叩《たた》き、それとなく催促の合図を送っているのが見えた。どうしたらいいかわからず、夫人は空いている左手を思わず握りしめた。手のひらは汗でびっしょりぬれていた。肉球もないのに、人間も手から汗が出るのか、と頭の片隅でぼんやり考えた。

もはやこれまでだと思った。

買い物をあきらめ、このまま退散しようと財布を二つ折りにしたとき、夫人は一瞬の間だけ「猫」に戻った。

猫は極度の緊張に襲われたとき、リラックスするためもっとも多用する仕草がある。夫人は無意識のうちにそれを実行していた。

すなわち、目の前の主人のことも、レジ脇に置かれた商品のことも、支払いのこともすべて忘れ、あごが外れるのではないかというほど大きくあくびした。一回では足りず、三回連続あくびした。

ようやく口を閉じて、視線を前に戻すと、主人はぽかんと口を開けていた。

「失礼」

と夫人は黙礼して、主人の前に財布を傾けた。ショーケースのステンレス台の上に、大小たくさんの小銭が派手な音を立てて流れ出た。

「ち、ちょっと奥さん」

と慌てる主人を放って、レジ脇の商品が入ったビニール袋を手に取った。

主人が引き留める声も聞かず、夫人はさっさと自転車にまたがってペダルを踏んだ。

家の前まで、一度も止まらず自転車を走らせた。

自転車から降りてしばらく経っても、まだ心臓がばくばくしていた。夫人はビニール袋をかごから引き上げ、門扉に手をかけた。かのこちゃんがいつもやっているやり方を真似て、柵《さく》の内側に手を回し、難なく鍵《かぎ》を開けた。玄関の脇を抜けて、夫人は腰を屈め庭を横切る。縁側からガラス越しに中の様子をうかがったが、さいわい茶室には誰もいなかった。庭の隅に視線を向けると、鎖が地面に弧を描いて犬小屋に向かっている。抜き足差し足で小屋に近づき、そっとのぞいた。夫は暗がりのなかでぐっすり眠っていた。

夫人は手に提げたビニール袋から、紙に包まれたこぶし大のかたまりを取り出した。なるべく音を立てぬよう紙を開けると、またビニール袋が現れた。夫人はそれを強引に破り、空のエサ皿の上に持っていった。ぼんというしめった音とともに、赤身肉のミンチのかたまりがエサ皿の中央に落っこちた。

夫人はミンチを指の先で丁寧にほぐし、立ち上がった。

「ふう、これでおしまい」

とつぶやいた途端、強烈な眠気が襲ってきた。

ここで「かとりさん」の格好のまま眠るのはマズい、ということはわかっていた。しかし、訪れたものが人のものではなく、決して勝つことのできない「猫の眠気」であることも夫人はわかっていた。

夫人はふらつく足取りで、室外機に向かった。猫の目にはれっきとした道に映った室外機と塀との幅が、「かとりさん」の目にはやっと通れるくらいの隙間に縮まっていた。

夫人は塀と向かい合うようにして、室外機の上に「かとりさん」の尻を置いた。

まどろみの世界にすでに一歩足を踏み入れた感覚のまま、夫人は背中の壁に頭を預けた。麦わら帽子のつばが、壁を引っかいてかすれた音を発した。

「ニャア」

という妙な声が頭の上に聞こえた。

何とか視線を向けると、目の前の塀の上から、珊瑚《さんご》色の首輪をしたアカトラがじっとこちらを見下ろしていた。

正面で視線が合った瞬間、夫人はすとんと眠りに落ちた。

＊

身体の下で室外機が急に動き始め、夫人は目を覚ました。

思う存分、両手足を縦の方向に伸ばしたまま眠っていたせいで、しま模様に彩られた細い腕が、へりから少しはみ出しているのが見えた。さらに背中をえびぞらせ、大いに伸びをした。ついでに、長いあくびもした。ぼんやりした頭に酸素を送りこみながら、ゆっくり意識を取り戻そうとする途中で、唐突に「かとりさん」の顔が浮かび、夫人は弾《はじ》かれたように身体を起こした。

考えるより先に、顔が室外機の下をのぞいた。ファン・カバーの前に、愛着あるひょろ長い尻尾《しっぽ》が一本、謙虚に垂れているのが見えた。

最初に安堵《あんど》が、次に静かな混乱が訪れた。まずは落ちつこうと、夫人は前脚をなめ、何度も顔を洗った。肉球がヒゲを押し倒す感覚を執拗《しつよう》に確かめた。

身体じゅうをひととおり洗い、夫人は姿勢を正した。改めて、自分がごく平凡なアカトラの猫であることを確認し、室外機から飛び降りた。

いったい、自分はどのくらい室外機の上で眠っていたのだろう、と考えながら犬小屋に近づくと、玄三郎は塀際のくぼみに身体を横たえ、軽いいびきを放っていた。

夫を起こす前に、尿意を済ますべく、夫人は茶室の縁側を支える短い柱に近づいた。そこは夫人が必ず日に三回はマーキングを施す場所なのだが、鼻を近づけてみて当惑した。なぜなら、そこには三時間ほど前と思われる、自分のにおいが残っていたからだ。夫人は短く小用を足し、庭の隅に向かった。松の木の根元に、夫人が朝方、空き地から帰ってきたとき、玄三郎が腰を屈《かが》め用を済ませていた際の固形物が転がっていた。夫人は慎重にそのにおいを確かめた。およそ二時間前に出来上がった、という嗅《きゅう》覚《かく》が示す事実は、

「室外機の上で夫人が過ごした睡眠時間は、ほんの一時間半かそこら」

という一つの事実を自《おの》ずと導いていた。

どうやら、すべては夢だったらしい。

もちろん、猫が本当に人に化けるはずがないから、その結論はどこまでもまっとうなものである。しかし、夢とは到底思えない、実感として残る「かとりさん」の気配は何だろう？　半日にわたる、炎天下での詳細な記憶は何だろう？

夫人は念のため、玄三郎のエサ皿のにおいも確かめた。当然というべきか、そこに生肉の痕跡《こんせき》は何も感じられなかった。

何ともいえぬ徒労感が身体じゅうを覆い、夫人は空を仰いだ。能天気に鳴きわめく蟬の声が、めずらしく癇《かん》に障った。たとえ夢の中の出来事とはいえ、無事猫に戻れたのは結構なことだが、苛立《いらだ》ちの混じった釈然とせぬ気持ちが強く残った。

「ごきげんよう、マドレーヌ夫人」

そのとき、空を見上げていた夫人の視線の先で、屋根の庇《ひさし》から猫がひょいと顔を出した。

「あら、ミケランジェロ。おひさしぶり」

「おひさしぶり。お元気？」

「ええ、元気よ。めずらしいじゃない、あなたがここまで来るなんて」

「だって、ご主人の迷惑になっちゃいけないでしょ。あら、ご主人はお休み中？」

「ええ、最近は猫よりもよく寝ているわ。あまり身体の調子がよくないの。胃のあたりがもたれる感じがとれないみたいで」

「そうなの……それは心配ね」

「それよりどうしたの？　何かご用？」

「そうそう――今日、マドレーヌ夫人は空き地に行った？」

「ええ、行ったわ。誰も来ていなかったけれど」

ふうん、とミケランジェロは屋根から思わせぶりな相づちを打ち返した。

「どうして？」

「なるほどね」

「なるほど、って何よ」

「その反応は知らないってことね」

夫人の訝《いぶか》しげな視線には応《こた》えず、ミケランジェロは屋根から顔を引っこめた。少し離れたところからふたたび顔をのぞかせたと思うと、門扉を挟む塀の上にすとんと降り立った。

「空き地は解放されたわ、マドレーヌ夫人」

「え？」

「私も今日、久しぶりに空き地に行ったの。たぶん、夫人とは行き違いだったと思う」

「何も変わっていなかったでしょう」

「ええ、いつものとおりまっくろけ。でも、せっかく遠出したから、そのまま帰るのももったいなくて、和三盆の家まで足を伸ばしたの。集会がなくなって、すっかり出不精になったせいね。和三盆、少し膨らんでいたわ。面と向かっては言わなかったけれど」

ミケランジェロは塀を伝って、夫人の正面までやってきたところで、腰を下ろした。

「和三盆のところでたぶん一時間くらい世間話をしたかしら。お暇《いとま》したあと、また同じ道を通って帰ったの、空き地の前を通って——そうしたら」

「そうしたら？」

漠然とした期待が胸の内側で騒ぎだそうとするのを抑え、努めて冷静に夫人は訊《たず》ねた。

「あとはご自分の目で確かめたら？」

とやけにうれしそうな声で告げたのち、

「空き地は解放されたわ、マドレーヌ夫人。私、ほかのみんなにも、このことを伝えなくちゃ」

と言い残し、ミケランジェロはさっさと塀の向こうに消えてしまった。

夫人が思わずあとを追って、駆けだそうとしたそのとき、横手からしゃららと鎖の鳴る音が響いた。足を止めて顔を向けると、昼寝から覚めた玄三郎がくぼみから立ち上がろうとするところだった。

「ん？　どうかしたかい？」

「ええ、何というか……その、いろいろあって。ああ、今はうまく言えないわ。もうちょっと待ってくれないかしら」

「ずいぶん、うれしそうに聞こえるよ」

「そうなの、でも、本当にうれしいかどうかはまだこれから」

と夫人は落ち着きのない声で返した。

「実は、僕もうれしいことがあったんだ」

玄三郎は水の入ったボウルに向かいながらつぶやいた。

「夢に出てきた」

「え？」

「昼寝の前に、今までいちばんおいしかったものを訊《き》かれただろう。そのとき答えたものが夢に出てきた。そう、この真ん中に、こんもり盛られてね」

と玄三郎は赤いエサ皿に鼻の先を近づけ、「ああ、やっぱり夢だったか」とため息混じりにつぶやいた。

「きっと、きみが用意してくれたんだろうと思って。お礼を言いたかったのに、残念なことに夢の中できみは留守でね」

「それ……おいしかった？」

「ああ、とても。ちょっと言葉にはできないくらい」

夫人が久々に聞く、心底満足げな声を漏らし、玄三郎はエサ皿の隣のボウルの水をなめた。

「ありがとう」

「何言ってるの？　夢の中のお話じゃない」

「やっぱり……そうなのかな。いや、でも、夢とは思えないくらい、豊かな味わいが、まだ口の中に残っているんだ」

うれしそうにエサ皿にごちそうを見つけたときの様子を語る玄三郎に、「ごめん、ちょっと出かけてくる」と夫人は急に背を向け、歩き始めた。

「ああ、呼び止めてすまなかったね。気をつけて行っておいで」

玄三郎の声にも振り向かず、夫人は足早に庭を横切った。

この一年間、夫人は自分に家というものをはじめて教えてくれた夫に、何とか感謝の気持ちを伝えたい、と願ってきた。だが、ネズミや蜘蛛《くも》を獲《と》ってきても、夫はよろこばない。そこには厳然たる種の境界が存在した。ゆえに、「かとりさん」とともに、夫人は果敢に肉屋を目指した。

果たして夫人が夢の中に見た風景が、そのまま夫の見たものにつながっているのかどうかはわからない。だが、夢の話を語りながらうれしそうに尾を振る夫の姿に、不思議と自分の願いが少しだけ叶《かな》った、という静かな確信を夫人は得た。まるで庭から逃げ出すように、夫人は身を屈め、素早く門扉を潜った。やけに胸が熱く、あと一分でも長く夫のそばにいたら、何だか泣いてしまいそうだったからである。

家を出てしばらくしたところで、夫人は民家のガレージにとめてある、洗いたてのBMWに飛び乗り、そこから塀に足場を移した。

夫人はすでに、これから自分を待ち受けているものを知っている気がしたが、実際にこの目で確かめるまで、あえてそのことは考えないでおこうと決めた。

のどの奥で、かすかに歌を奏でながら、自然に速まる足取りとともに、夫人は一路空き地を目指した。

第三章　かのこちゃんとすずちゃん

スイカの種を縁側から派手に飛ばしながら、かのこちゃんは先ほどから眉間《みけん》に深いしわを寄せている。

かのこちゃんの隣では、お父さんがあぐらをかき、広げた新聞の上で足の爪切《つめき》りをしている。かのこちゃんとちがって、お父さんの爪は、切るときにバチンバチンとものすごい音がする。かのこちゃんとちがって新聞の写真の上に飛んだやつなんて、かのこちゃんのと同じものとは思えないくらい、ぶ厚くて長い。

爪切りを終えたお父さんは、新聞紙の上にたまったものを縁の下にさらさらと落とし、「やっぱり、食べようかな」と皿の上のスイカをひと切れ手に取った。

「それで、何をやるのか決まったのかい？」

豪快にスイカにかぶりつくお父さんの問いかけに、かのこちゃんは依然、眉間のしわを維持したまま「ううん、まだ」と首を横に振った。

「始業式はいつだっけ？」

「四日後」

「その自由研究以外に、まだ終わっていないのは？」

「国語と算数と作文」

「ほとんどじゃないの、それ」

お父さんの指摘に、かのこちゃんは「こんなはずじゃなかったの」とがっくり肩《かた》を落とし、最後のスイカを皿から取った。

「じゃあ、それを食べ終わったら、さっそく算数をしよう」

「わかった」

二人でスイカを平らげたのち、お父さんは軍手をはめて庭に降り立ち、かのこちゃんはお盆を台所のお母さんのところへ届け、ちゃぶ台を抱えて戻ってきた。茶室の中央にちゃぶ台を置き、その上に算数のドリルを用意した。扇風機のスイッチを入れ、かのこちゃんは細長い形をした『まいにちさんすうドリル』に取りかかったが、「3日目」と「4日目」の四ページを終えただけであっという間に飽きがきた。

庭で草むしりするお父さんの動きを目の端で確認しながら、かのこちゃんはドリルの最後のページに指を入れ、そっとのぞいた。

「あれ?」

最終ページである「30日目」と裏表紙の間にあるはずのものが見当たらず、かのこちゃんは裏返った声を上げた。しかし、すぐさまその理由を了解した。かのこちゃんのズルを予期したお母さんが、とっくの昔に「解答編」を抜き取ってしまっていたのだ。かのこちゃんは声にならぬうめきを漏らしながら、畳に背中から倒れこんだ。

しばらくして、かのこちゃんは両手を耳の横に、足をしっかり踏ん張り、ブリッジの姿勢で身体を起こした。

上下が逆さまになった視界の真ん中に、いつの間にか縁側にやってきたマドレーヌの姿が見えた。片足を上げ、器用にバランスを取りながら、股《また》ぐらのあたりを熱心になめているマドレーヌと視線が合ったとき、かのこちゃんは唐突に、懸案だった夏休みの自由研究の題材を思いついた。

「お父さん！」

かのこちゃんはブリッジのまま、縁側近くへ進んだ。

引き抜いた草の根の土を払いながら、お父さんは「もう終わったのかい？」と笑いながら顔を上げた。

「そんな格好だと頭に血が上るよ」

と心配するお父さんに、「大丈夫」と元気に返し、かのこちゃんは今思いついたばかりの自由研究のアイデアについて語った。

「そいつはいいね。お父さんもどういう結果になるか知りたいよ」

「名案でしょう」

「でも、ちょっとひとりじゃ難しいかもしれないね。猫《ねこ》は気まぐれだから。いざとなったときは脚も速いし。それより——そろそろやめたら？　顔、真っ赤だよ」

「うん、もう限界」

ドンと大きな音とともに、かのこちゃんは背中から畳に落ちた。その音にマドレーヌが驚いて腰を上げたところへ、体勢を整えたかのこちゃんは「ガオオ」と最近、上の一本が抜けたばかりの前歯をむき出しにして迫った。

当然、マドレーヌは縁側から飛び降りて、逃げる。

かのこちゃんは素早く縁側下のサンダルを履くと、腰を屈《かが》めながら、さらに「ングアァゴオ」という奇声とともにマドレーヌを追いかけた。マドレーヌは本気で逃げるべきなのか、それとも冗談なのか判断つかない様子で、何度か迷惑げに振り返っていたが、結局かのこちゃんに追い出されるように、小走りで門扉の下から家の外へ退場した。

「さっそく今からやるのかい？」

「うん、お父さん、デジカメ貸して」

テレビの部屋の棚の上、という返事に、

「マドレーヌのこと見といてね！」

と叫《さけ》んで、かのこちゃんは大急ぎで家の中に戻り、デジカメとメモ帳、ボールペンを、お気に入りの橙《だいだい》色のポシェットに放りこんで肩にかけた。

ばたばた走らないの、と注意するお母さんに、

「ちょっと、自由研究に行ってくる！」

と告げ、かのこちゃんは玄関を飛び出した。

「マドレーヌは？」

「あそこ。あ、今、右に曲がった」

つま先をとんとんと地面に打ちつけるかのこちゃんに、門扉の外に立ったお父さんが慌《あわ》てた様子で指を差す。

「車に気をつけるんだよ」

はあい、と返事して、かのこちゃんはすでに探偵の顔つきになって、マドレーヌのあとを追って走りだした。

＊

始業式の前夜、ベッドに入っても、かのこちゃんはなかなか寝つけなかった。

翌朝も七時半きっかりに、「今日から学校。さあ、起きて起きて」とお母さんに問答無用とばかりにタオルケットを引きはがされたときから、そわそわした感じが抜けない。

学校の門を潜り、昇降口で靴を履き替えているときも何だか心がくすぐったい。一年二組の教室のドアが近づくにつれ、胸がドキドキしてきた。こんな変な緊張がこれからも続くのなら、かのこちゃんは始業式という日が嫌いになってしまいそうだった。

ドアの中央にはめられたガラス窓をのぞくと、向こう側にクラスメイトの姿が見える。ひと月ぶりの再会がやけに気恥ずかしく、ドアの前でもじもじしていると、

「ぼん」

と頭の上に何かが落ちてきた。

驚いて振り返ると、まつもとこうたが大きな箱を両手で抱え、かのこちゃんを見下ろしていた。

「何すんのよ」

とかのこちゃんが眦《まなじり》を吊《つ》り上《あ》げたところへ、

「早く行けよ。そこで止まられたら、教室に入れないだろ」

とまつもとこうたは実に正当な要求を突きつけてきた。

「何、それ？」

頭上の箱を仰ぎ、かのこちゃんは指差した。

「これ？　おれの自由研究」

まつもとこうたは真っ黒に日焼けした顔に、急にニヤニヤ笑いを浮かべると、掲げ

ていた箱をかのこちゃんの正面に下ろした。青いものが視界を塞《ふさ》ぎ、かのこちゃんは思わず顔を退《ひ》いた。だが、目の前に突き出されたものが何なのか理解するや、

「わ、すごい！」

と頭に箱を落とされたことはすっかり忘れ、大きな声を上げた。

「これ、作ったの？」

「おう」

まつもとこうたは、かのこちゃんの反応に満足げな笑みを浮かべ、

「手を離せないから、ドア開けてくれよ」

と箱を押し出しうながした。

かのこちゃんが開けたドアから、まつもとこうたは「おいーっす、ひさしぶり」と教室に入っていった。そのまま黒板の前を突っ切り、窓際に続く棚の上に、抱えた箱を下ろした。

かのこちゃんはさっそく箱の前に陣取り、大きく目を見開き中身をのぞいた。それは箱の手前を青いセロファンで覆い、水槽《すいそう》を模した内部に魚介類の絵を糸で吊るした、いわゆる「水族館」だった。たとえそれがどれほど小学生の夏の定番作品であったとしても、初見の一年生の前では、そのインパクトたるや絶大なものがあった。あっという間に、まつもとこうたのまわりに人だかりができた。みんなめいめいに箱の上に

並ぶ、爪楊枝《つまようじ》を切って作ったつまみを引き上げると、水槽のなかで、釣り糸に引っ張られマグロやタコやヒトデが上下した。子どもたちは大いに興奮し、かのこちゃんも教室に入る前の気恥ずかしさはどこへやら、まるで一学期が、休み時間を挟んだ、ひとつ前の授業であったかのように、左右を囲むクラスメイトと口々に感想の言葉を述べ合った。かのこちゃんは箱の横に飛び出している割り箸《わばし》のようなものを引っ張ってみた。すると、大道具のセットのように背景手前に配置された珊瑚《さんご》や岩の間を、とぐろを巻いた大きなへびみたいな影が横切った。

「何、今の？」

「うつぼ、海のギャング」

と得意げに答えるまつもとこうただったが、実は、彼には同じ小学校に通うふたりの兄がいる。そのふたりの兄も、夏の自由研究を、工作でも可というルールを活用し、一度は「水族館」で乗りきった口だった。今回の作品には彼ら先人の豊富な経験が、たとえば最後まで全体像が見えない岩陰のうつぼ、蛍光シールでデコレーションされたヒトデ、ゴムのオモチャのヘビを短くして、ニスで塗り固めた大アナゴといった部分に、惜しみなく取り入れられていた。極めつけは、箱の裏面のテープをはがして釣り糸を解放すると水槽の背景がぱたりと落ち、背面いっぱいの大きさのダイオウイカが登場するところだろう。その凝りようはもはや、小学一年生の作品ではなく、家内制手工業の装いと言えた。

「おまえは自由研究、何にしたんだよ」

ひとしきり「水族館」の出来を披露したあと、まつもとこうたはかのこちゃんに訊《たず》ねた。

かのこちゃんはあまりの水族館の出来に気圧《けお》されながら、

「ええと、地図を作った」

とくぐもった声で答えた。

「地図？　何の地図だよ？」

「お散歩地図」

「何だ、それ？」

訝《いぶか》しげな視線を返すまつもとこうたに、かのこちゃんは手さげかばんの中から、折り畳んだ白い紙を取りだした。今日は自由研究の宿題を提出して、始業式のあと、そうじをするだけなので、手さげかばんひとつでの登校なのだ。

片膝《かたひざ》ついた姿勢から、かのこちゃんは立ち上がり、胸の前に紙を広げた。Ａ４用紙を何枚も貼り合わせた、およそ一メートル四方の紙に、「水族館」をのぞいていた子どもたちの視線も自然と集まる。

はじめ、誰《だれ》もが怪訝《けげん》な表情で、主に灰色の細かい模様に覆われた、ところどころ赤や青が点在する紙面を見つめていた。そこに展開されたものの意味がつかめず、しばらく沈黙が続いたが、ひとりがその端を指し「あ、ここ学校」と気づいた途端、導火線を走る種火が一瞬にして駆け巡るが如く、「これ、僕の家！」「わたしの、ここ！」「あ、おれのマンション！」と口々に叫び始めた。

それは、町の地図だった。

お父さんがパソコンの画像を拡大したのち、プリントしてくれた、とても精密な写真の地図だった。かのこちゃんの家を中心にして、小学校をはじめ、みんなの家の多くが地図のなかに収まっている。ゆえに、子どもたちは熱く反応したのだ。

「この赤い線は？」

地図に触れんばかりにのぞきこむクラスメイトたちの頭越しに、まつもとこうたが指差した。

「それがマドレーヌの散歩コース」

「マドレーヌ？」

「うちで飼《か》っている猫。これ、この写真の猫。アカトラって種類なの」

「じゃ、この線の途中の星マークは？」

「それはマドレーヌのおトイレ・ポイント。それでこれがマドレーヌのお友達」

かのこちゃんは太い赤マジックの線で描かれた散歩コースの途中に貼られた、キジトラと三毛猫の写真を指で示した。かのこちゃんはその名を知るよしもないが、お父さんのデジカメで撮った写真に収まっているのは、もちろん和三盆《わさんぼん》とミケランジェロである。

「これ、おまえが全部ひとりで調べたの？」

しばし圧倒された表情で、赤の太線が縦横無尽に走り回る地図を眺めていたまつもとこうたが、ようやく口を開いた。

「そうだよ。でも、三日間しか調べられなかったから、本当はもっとあちこち散歩しているかも」

「すごいな、おまえ」

まつもとこうたが改めて感嘆の声を上げたところへ、

「ねえ――この線、道路じゃないところ突っ切ってるよ」

といつの間にか隣に立っていたこはるちゃんが、紙に引かれた線を指でなぞった。

「あ、こはるちゃん、おひさしぶり」

「おひさしぶり、かのこちゃん。元気だった？」

「うん、ずっと元気だった。えっと、この線はね、塀の上を伝っていったってことだよ」

「あ、だからここのところ、何度もカクカクしてるんだ」

「そう、そこは通るときちょっと怖かった。塀って家ごとに高さがちがうから、段差があるんだよね。上るときはいいけど、下りるときが怖いの」

「怖い？　猫が怖がるの？」

「ちがうよ、自分が」

「え？　かのこちゃん、塀に上ったの？」

「そうだよ。だって、マドレーヌが歩くんだもん。ついていかなくちゃ駄目《だめ》でしょう」

何を当然なことを、とでも言うように、かのこちゃんはいっぱしの研究者の面構《つらがま》えではるちゃんを見返した。

このフィールドワークに挑むに際し、かのこちゃんはどこまでも真摯《しんし》な姿勢で、マドレーヌの生態に肉薄することを決めた。すなわち、猫に土地の私有という概念がないなら、かのこちゃんも同じ気持ちになる。マドレーヌがよそ様の家に潜りこむのなら、かのこちゃんもいっしょに潜りこむ。マドレーヌが塀の上を渡ったなら、もちろんかのこちゃんもだ。たとえば、近所のおばあさんが庭の手入れをしているところへ、マドレーヌが塀を伝って現れる。しばらくして、塀の上を腰を屈《かが》め、のっそり登場するのは、かのこちゃんである。おばあさんが悲鳴を上げ、危ないから降りてちょうだいと懇願しても、

「こんにちは！　今、夏の自由研究の宿題で、マドレーヌのお散歩地図を作ってる真っ最中なの」

とかのこちゃんは笑顔で手を振って、さっさと隣の敷地へ移動してしまう。

自由研究に打ちこんだ三日間、かのこちゃんのお母さんは、近所の人たちから何度も電話をもらったが、その都度、お父さんが「お騒がせしています」と一軒一軒、学校の宿題のことを説明して回った。近所のみなさんは、お父さんが小さい頃からの付き合いだから、何とか了解してくれたが、お父さんとお母さんが、高い塀を危なっかしく渡るかのこちゃんの姿を実際に見ていたら、果たしてここまで応援してくれたかどうかはわからない。

幸い、かのこちゃんは怪我《けが》の一つもせずに地図を完成させることができた。その成果は、まつもとこうたの「水族館」と並んで、さっそくクラスの大きな関心を呼び、チャイムが鳴る少し前に教室にやってきた先生は、みんなが集まる輪の中心に、かのこちゃんが広げる地図を見つけ、「へえ、おもしろいねえ」とこれまで見たことのない研究に素直な感想を漏らした。さらには、

「みんなももっと見たい？　じゃあ、この地図は今日の放課後に先生がうしろの壁に貼っておきます。そうしたら、明日《あした》からみんな、ゆっくり見ることができるでしょ？」

と約束してくれた。

「では、みなさん席につきましょう。あ、始業のチャイムが鳴り始めましたよ。チャイムが鳴り終わったとき、どうするんだった？　夏休みで忘れちゃったのかな？」

と先生がよく通る高い声で教卓に向かうと、かのこちゃんは、そうだった、チャイムが鳴り終わったとき席についていないと、黒板に名前を書かれてしまうんだった、と思い出し、慌てて地図を畳《たた》み、みんなと競うようにして自分の席を目指した。

出席を取り終え、通信簿を回収したのち、先生は「これから始業式を行うため、体育館に向かいます」と全員廊下に整列するよう告げた。新学期はじめての「でんきがかり」の役目を果たし廊下に出ると、ドアの脇《わき》にすずちゃんが立っていた。

「おはよう、すずちゃん。二学期もよろしくね」

楽しかったお茶会以来、一週間ぶりの再会だった。

「うん、よろしくね」

その声はどこか元気がないようにも感じられたが、きっとすずちゃんも始業式を前に緊張していたのだ、とさして気にもとめず、かのこちゃんは列が動き始めるのに従って体育館に向け歩き始めた。

＊

かのこちゃんが作った「マドレーヌのお散歩地図」はその後、思いがけない発展を見せた。

約束どおり、先生がうしろの壁に貼ってくれたおかげで、地図はクラスメイトの多くの注目を引くようになった。地図の左上の部分には、マドレーヌの全身写真と、珊《さん》瑚《ご》色の首輪もよく見える顔のアップ写真を貼りつけていた。すると、それを見たクラスの仲間たちから、「以前、マドレーヌをどこそこで見た」という声が次々と上がり始めたのである。

最も目撃情報が集中したのが、空き地だった。

登校途中にその前を通る子どもたちが、空き地では毎朝猫の集会が開かれ、そこによくマドレーヌらしき猫の姿を見かけた、首輪の感じもよく似ている、と証言したのである。

空き地の場所を聞いて、かのこちゃんは驚いた。

三日間にわたる研究の末、かのこちゃんは、

「マドレーヌの行動エリアは、家を中心としたおよそ半径百五十メートルという意外

に手狭な範囲」

という結論を導きだしていた。しかし、空き地の場所は地図の枠外、かのこちゃんの家から優に五百メートルは離れている。これでは、正確な研究とはとても言えなくなってしまう。

「猫の集会って何？ 見てみたい！」

早くもフィールドワーク熱が再興するかのこちゃんに、その空き地に猫はもういない、とみんなは口々に告げた。何でも数日前に空き地の全面が突然ビニールシートに覆われ、それ以来、ぱたりと猫の姿を見かけなくなったのだという。

猫の集会と聞いて、さっそく猫が整列してラジオ体操する絵を思い浮かべていただけに、その知らせはかのこちゃんをがっかりさせた。ただ、みんなの目撃情報については、積極的に地図に描き足していくことにした。地図はすでに壁に固定され、かのこちゃんの手は届かないので、先生に相談すると、代わりに先生がマジックで印をつけてくれることになった。

先生は脚立に上って、みんなの声に従い、地図に青のマジックで新しい丸印を描きこんでいった。さらに、

「あか　マドレーヌのさんぽみち」

というかのこちゃんの字の隣に、

「あおのまる　みんなの目げきじょうほう」

と注釈もつけてくれた。脚立から降りた先生は、ひとりの研究がみんなの研究になりました、とその場にいた子どもたちをとてもほめてくれた。みんなの歓声を聞きながら、かのこちゃんも誇らしさに後押しされ、ずいぶん鼻の穴を膨らませた。しかし、フィールドワークに熱を上げすぎた結果、算数・国語・作文といったデスクワーク類をことごとく提出期限に間に合わせることができなかったことについては、あとでしっかり先生から注意を受けた。

二学期が始まり、楽しい日々が再開されたのは素晴らしいことだったが、かのこちゃんがひとつだけ残念に思うのは、プールの授業が終わってしまうことだった。

かのこちゃんは幼稚園の頃からプールが苦手だったが、先生の教え方がうまいせいか、ようやく水に慣れ、ビート板を胸に抱いてぷかぷか浮かぶ楽しさもわかるようになった。いよいよプール納めという日は、前日に学校の用意をしているときからもの悲しさが募った。それでも、隣の一組との合同授業が始まると、そんなことはすっかり忘れ、準備体操後のシャワーで甲高《かんだか》い悲鳴を上げ、プールに入ってからは夢中になって水をかけ合い、鼻をつまんで身体を沈め、二十数えて勢いよく飛び出した。

みんなが好き勝手に動き回るせいで、水面が錨《いかり》のように弧を描いて揺れ、かのこちゃんの顔に当たってはしぶきを散らした。顔をぬぐった先には、まっ青な空に大家族のような雲がもくもくと躍《おど》っていた。グラウンドをプールとともに「L」の字を描くように囲む体育館からは歌声が響いている。きっと来月の文化祭の練習だろう、「百年休まずにチクタクチクタク」というかのこちゃんもよく知っている歌の合唱が、しぶきと歓声の合間からかすかに聞こえてきた。

「もう、水には慣れましたか？　それでは、近くにいる二人でペアを作ってください。相手が見つかったら、左手と左手で握手して、こうやってその手を挙げる」

という拡声器越しの先生の声に、かのこちゃんはちょうど目の前にいた、かとりさんというサポーターのおばさんとペアを組むことにした。先生の合図と同時に水をかけ始めると、かとりさんはおとなの人とは思えないほど目を白黒させていた。その様子がめっぽうおもしろく、かのこちゃんはいっそう張り切ってかとりさんに水をかけてあげた。

先生が吹くホイッスルの音とともにかけ合いが終了し、次の相手を探しに行こうとしたとき、かのこちゃんは急に腕をつかまれた。驚いて振り返ると、やけに切羽詰まった様子のかとりさんと目が合った。かとりさんはなぜか玄三郎《げんざぶろう》のドッグフードについて早口に告げた。どうして玄三郎のことを知っているのだろう、とかのこちゃんは不思議に思いながら、かとりさんのあまりの迫力に押され、わかったとついうなずいた。

かとりさんと別れ、首を前方に戻すと今度はすずちゃんの顔が飛びこんできた。かとりさんのことはすぐさま忘れ去られ、かのこちゃんは大きな声ですずちゃんを呼んだ。

「すずちゃん！　さっきね、二十秒潜水できた！」

「わたしは三十秒できたよ」

すずちゃんは「三」と指で示し、ニヤニヤ笑った。「いいなあ」とかのこちゃんはさっそく競争心をかきたてられながら、

「ペアの人は見つかりましたか？」

という先生の声に、「ハイ」とすずちゃんのか細い手をとって大声で返事した。

ホイッスルの合図とともに、かのこちゃんはふたたび激しい勢いで水をかけた。

「ねえ、かのこちゃん」

「え？」

「あのね」

水が膜となって舞い上がり、破れては水面を打つ音の合間に、すずちゃんの声がとぎれとぎれに届いた。

「何？　聞こえない」

「わたしね――」

「うん」

「転校することに決まったの」

その瞬間、かのこちゃんの右手がぺたんと水を打った。

弾《はじ》かれた水が、まるでねらい定めたかのようにかのこちゃんの顔を無遠慮に叩《たた》いた。

それでも、かのこちゃんはまばたきもせず、すずちゃんの顔を見つめた。

動きを止めたかのこちゃんとすずちゃんの間に、隣の子らが巻き上げた水しぶきが、乱暴な音を立ててばらばらと降り注いだ。

プールの子どもたちを押し包むように、蟬《せみ》が散々鳴いていた。

なぜか、まわりで騒ぎ立てるみんなの歓声よりも、体育館から伝わる合唱が近くに聞こえた。

今は　もう　動かない――その時計
「動かない」のところで一度ゆっくりと止める歌い方に、ああ三番の最後のとこだ、とかのこちゃんはぼんやり思った。

赤く充血したすずちゃんの目を、かのこちゃんはじっと見つめた。

視線を落とすと、ふたりの細い腕が水面の下でゆらゆら揺れ、ときどき千切れたように屈折して映った。

＊

土曜日の夕方に、玄三郎の様子がおかしいと最初に気がついたのはお父さんだった。ドッグフードの箱を手に、エサやりに犬小屋に近づいても玄三郎の反応がない。食欲が低いときや寝ているときでも、箱の中身が揺れる音には必ず反応して、鎖が流れる音とともに一度は身体を起こす玄三郎だった。

先週、玄三郎は長年変わらず愛好していたドッグフードを替えた。

かのこちゃんが急に、玄三郎も年だし、もう少し食べやすいものにしてあげよう、今のやつはカリカリしすぎて固いかもしれない、と言い出したからである。それもそうだな、とお父さんはかのこちゃんといっしょにペットショップに出かけ、これまでより少しやわらかいものを買って帰った。その際、お父さんが、

「ちがう味を試してみない？」

と提案しても、かのこちゃんは同じ味がいい、と強硬に主張して譲らなかった。お父さんが理由を訊《たず》ねると、

「何となく、玄三郎がそうしてほしい気がするから」

と要領を得ない回答とともに、かのこちゃんは「これ」とこれまでと同じパッケー

ジ写真だが、通常タイプより粒が小さく、さくさくした歯ごたえだという「シニア用」と書かれたドッグフードを手渡した。

どうやら、かのこちゃんの「何となく」は正しかったようで、実際に玄三郎はとてもうれしそうに尾を振って、お父さんがエサ皿に入れた新しいドッグフードを食べた。猛暑が堪《こた》えたのか、以前に増して、日陰でぐったり横になる姿を見かけるようになっていたので、食欲が戻ってよかったと家族一同安心した。

「晩ごはんだよ、玄三郎」

お父さんはエサ皿に箱の中身を流しこみ、呼びかけた。鎖が地面に「8」の字を描いたあとに引きこまれている犬小屋の中からは何の返事もない。「玄三郎」と少し声を大きくして、お父さんは犬小屋をのぞいた。

前脚にあごをのせ、玄三郎は目をつぶっていた。お父さんが顔の前でドッグフードの箱を振ると、少しだけ目を開けたが、すぐにまた閉じてしまった。

いつもとはちがう玄三郎の様子に、お父さんは排便の状況を確かめようと犬小屋の周囲をチェックした。すると、まるで庭からの視線を避けるように、犬小屋と塀の間に嘔吐《おうと》のあとが残っているのを発見した。

夕食のあと、お父さんはかのこちゃんとお母さんに、念のため明日《あした》病院に玄三郎を連れて行く旨《むね》を伝えた。ドッグフードを替えたせいではないかと心配するかのこちゃ

んに、お父さんは「それはないよ」と笑いながら首を横に振った。食後、かのこちゃんが食器洗いのお手伝いをしていると、

「玄三郎はお母さんがお嫁《よめ》に来る前からこの家にいるから、今となっては、お父さんのいちばん古い家族になるのかな」

とお母さんが言った。確かに、もうすぐ十四歳の玄三郎は、まだ六歳のかのこちゃんより、ずっとずっとおじいさんなのだった。ベッドに向かう前、かのこちゃんは玄三郎の様子を確かめに庭に出た。小屋のなかで、やはり玄三郎は眠っていた。エサ皿に口をつけた形跡は見当たらなかった。いつもは室外機の上や縁側で横になっているマドレーヌが、犬小屋の入り口の前で瞳《ひとみ》を光らせている姿に、かのこちゃんは妙な胸騒ぎを覚えた。

翌朝、学校がお休みのかのこちゃんが目を覚ましたときにはすでに、お父さんは玄三郎を連れて、近所の動物病院に向かったあとだった。

昼前にお父さんは帰ってきた。どうだった、と顔を合わせるなり訊ねるかのこちゃんに、

「胃に腫瘍《しゅよう》があるみたいなんだ」

とお父さんは少し疲れた様子で答えた。腫瘍とは何かとかのこちゃんがさらに訊ねると、「ガンだよ」とお父さんは短く返事した。おばあちゃんの病気のときも、かの

こちゃんはその言葉を聞いたが、意味については上手に理解できなかった。ただ、その禍々《まがまが》しい響きだけは、よく覚えていた。

「犬もガンになるの?」

「猫だって、牛だって、たぶん鳥だってなるよ」

お父さんが診断結果を記した紙をお母さんに差し出し、手術に関しては、お医者さんは年齢的にもあまり勧めなかった、などと説明している脇を抜け、かのこちゃんは茶室に向かった。網戸《あみど》を開けて縁側に出ると、ちょうど玄三郎がボウルの水に口をつけようとするところだった。

かのこちゃんの気配に気づき、玄三郎が首をもたげた。数秒顔を見合わせただけで、玄三郎はボウルに戻り、それから塀際の土のくぼみによたよたとした足取りで向かった。肉の薄いおしりから垂れた尻尾《しっぽ》が、何も言ってくれるな、とかのこちゃんに訴えているように見えた。くぼみに身体を横たえた玄三郎をしばらく見つめ、かのこちゃんは居間に戻った。テレビ脇の棚からデジカメを手に取って、玄関から庭に回った。すでに半眼《はんがん》になって前方をぼんやり眺めている玄三郎の前に屈《かが》み、カメラを構えた。どうしてそんな気になったのか自分でもわからない。ただ無性に、玄三郎の写真を撮らなければならないように思えたのだ。カメラの液晶画面をのぞいたときはじめて、かのこちゃんは玄三郎の背後に写る犬小屋に、マドレーヌが座っていることに気がついた。

そういえばこれまでかのこちゃんは、玄三郎とマドレーヌをいっしょに収めた写真を見た記憶がないことに思い至った。これはいい機会だ、とかのこちゃんは低く腰を落とし、左右にちょうど二匹が収まるアングルを決め「いくよ」と合図を送った。視線をカメラに向けたまま、犬小屋のマドレーヌが大きくあくびした。すると、それが伝染したかのように、手前の玄三郎もあくびした。

二匹が大口を開けるタイミングでシャッターを押したとき、かのこちゃんは、

「ああ、玄三郎とマドレーヌは本当に夫婦なんだ」

とようやく気がついた。

＊

かのこちゃんがプールですずちゃんの告白を受けた二日後、先生からクラスのみんなに向かって、

「突然のお知らせですが、すずちゃんが転校することになりました」

という正式な発表があった。いっせいに湧き上がったざわめきの向こうに、

「お父さんの仕事の都合で、すずちゃんは海外の学校に行きます。とても残念なこと

だけど、今月いっぱいでお別れになるので、みなさんはすずちゃんとたくさん思い出を作ってください」

という声が響くのを、かのこちゃんは蒼白《そうはく》な表情で聞いた。

その日以来、すずちゃんとの間に、見えない硬質な空気が澱《おり》のように漂うようになった。まるで一学期のはじめ、出会った頃に逆戻りしたかのように、話していてもどこかぎこちない気配が二人の間にわだかまった。ときにすずちゃんは、明らかに二人だけで話すことを避ける素振りさえ見せた。それでも、かのこちゃんがすずちゃんを誤解することは、もうなかった。話すことがかえって悲しい気持ちを助長させてしまうから、と相手の胸の内を正確に理解した。きっと幼稚園のときのかのこちゃんだったら、こんなふうに相手の気持ちを斟酌《しんしゃく》する余裕などなかっただろう。「知恵が啓《ひら》かれて」以来、かのこちゃんは少しずつ、確実におとなになっていたのだ。

だが、何事も時間がいずれ解決するものであったとしても、かのこちゃんには時間そのものがなかった。限りある残された日数を思い、かのこちゃんはここに、すずちゃんとともに乗り越えるべき試練があると感じた。

お父さんが玄三郎を病院に連れて行った翌日の月曜日、かのこちゃんはすずちゃんに手紙を書いた。

「こんどの日よう日、じんじゃのおまつりであいましょう。」

かのこちゃんの家の近所には、決して大きくはないけれど由緒《ゆいしょ》ある神社がある。お正月の次に神社が人で賑《にぎ》わう秋祭りは、かのこちゃんが一年で必ず浴衣《ゆかた》を着ることができる大切な日だ。お父さんの財布のひももすこぶるゆるくなる特別な日だ。

生まれてはじめて、自分の意志で書いた手紙だ。せっかくなので、ここはちゃんと封筒《ふうとう》に入れて手渡したい。お母さんに相談すると、じゃあ、明日夕飯の買い物ついでに封筒も買ってきてあげる、という運びになった。

翌日学校から戻ると、お母さんがかわいらしい封筒を用意してくれていた。かのこちゃんはさっそく手紙を封筒に入れ、ランドセルに忍ばせた。

しかし、かのこちゃんの手紙がすずちゃんの手元に届くことはなかった。

というのも、次の日にすずちゃんが急な風邪《かぜ》で学校を休んでしまったからである。しかも間の悪いことに、新しい週に入ったと思ったら、すぐさま秋の連休が始まった。おかげで、お祭りのある週末まで、学校そのものがなくなってしまった。

やきもきした気持ちを持続させたまま、かのこちゃんは日曜日を迎えた。先週に続き、お父さんが玄三郎を病院に連れて行っている間に、お母さんに浴衣の着付けをしてもらった。ついでに頭のてっぺんに、かわいらしいおだんごも作ってもらった。

「せっかく、お手紙書いたのに」

準備を終えたかのこちゃんは、縁側に腰かけ、下駄《げた》をひっかけた足を交互《こうご》に振りながら、ほんの一日のタイミングの遅れを呪《のろ》った。それならそれで、いっそすずちゃんの家を訪問したらよかったのかもしれないが、そんなことをしたら嫌がられはしまいか、などと妙な遠慮が働き、結局、無為に過ごしたことを今さらながら悔やんだ。

「ああ――今日、すずちゃんもお祭りにきてくれたらいいんだけど」

と気弱につぶやき、かのこちゃんは隣で寝そべっているマドレーヌの脇腹をくすぐった。先ほどから、かのこちゃんの愚痴《ぐち》めいた後悔の言葉を、マドレーヌは顔を洗いながら関心なさそうに聞いている。相手をする気分にならないのか、マドレーヌは縁側からさっさと飛び降りると、室外機に場所を移し、大きくあくびして丸くなった。

日が暮れる頃になって、ようやくお父さんが病院から戻ってきた。

「やっぱり体力的に手術は難しいみたい」

お父さんは重いため息とともに、玄三郎を抱えて玄関のドアを閉めた。

「何かあったときに心配だから、しばらく玄三郎を家のなかに入れてあげないかい?」

腕の中の玄三郎をのぞきこんで提案するお父さんに、

「そうね、それがいいかもしれない」

とお母さんが賛同する傍《かたわ》らで、かのこちゃんは猛然と浴衣の袖《そで》を振りかざし、反対を表明した。

「駄目《だめ》だよ。それだとマドレーヌがさびしがるじゃない。玄三郎とマドレーヌは夫婦なんだから。きっと玄三郎だってさびしがるよ」

「え、そうなのかい？」

「そうだよ、知らなかったの？」

うん、知らなかった、と素直に認めるお父さんの腰を後ろからぐいと押し、かのこちゃんは犬小屋に向かった。すると、この時間はたいていどこかへ行って姿が見えないマドレーヌが、まるで待ち構えていたかのように小屋の横で座っていた。

「本当だ。奥さんみたいだね」

「みたいじゃなくて、本当に奥さんだよ」

お父さんは笑って、「わかったよ」と腕の中の玄三郎をそっと地面に置いた。遅れてお母さんが持ってきた新しい毛布を犬小屋のなかに敷き、

「何かあったら呼ぶんだよ」

腰を屈め、あばら骨の浮いた玄三郎の脇腹をさすった。少し離れた場所から、人間の動きをじっと見つめているマドレーヌに、「じゃあ、玄三郎を頼むよ」と声をかけ、お父さんは立ち上がった。

「お祭りに行こう。玄三郎のことをお願いしに行こう」

家に帰ったときから、どことなく悲しそうなお父さんの様子に、ひょっとしたらお

祭りに行ってくれないかもしれない、と密《ひそ》かに心配していたかのこちゃんは、その言葉に「ウン！」と大きな声を上げて、玄関のげた箱の上に置いた巾着袋《きんちゃくぶくろ》を取りに戻った。

＊

ベビーカステラ、金魚すくい、焼きそば、焼きトウモロコシ、スーパーボールすくい、亀《かめ》すくい、鯉《こい》釣り、冷やしパイン、じゃがバター、ポケモンくじ、ヨーヨー釣り、かき氷、七味唐辛子、ガラス細工——。

神社の表鳥居を潜った先には、大勢でごった返す参道に沿って、強い照明を軒先にぶらさげた夜店の列が、夕闇《ゆうやみ》に燦然《さんぜん》と浮かび上がっていた。

ベビーカステラと太々と書かれた筆文字は赤い光を放ち、円形に湾曲したガラスの向こうで綿菓子は淡い霞《かすみ》を引いて、おじさんの持つ割《わ》り箸《ばし》に真っ白な雲を作っていた。

リンゴ飴《あめ》はまるで表情があるかのように丸々とそして艶《つや》やかに並び、鯛《たい》焼きは型に流しこまれたタネの上に、あんこがテンポ良く沈められていく。射的はかのこちゃんよりもっと背の高いおにいさんおねえさんがするもので、まだ危ないからとやらせてもらったことがない。くじ引きは去年まで二百円だったものが、三百円に値上がりしていた。カルメラ焼きは虫歯になるからと家で留守番のお母さんから今年は禁止を言い渡され、鈴虫を売る店の前では緑色のフタの虫かごのなかでチリリチリリの大合唱。かのこちゃんは鼻息荒く左右を見回し、目に入るものすべてに歓声を放ち、つい人垣に向かって走り出しそうになるたび、お父さんから、

「まずは、お参りしてから」

と諭されることを繰り返しながら、ようやく本殿の前までたどり着いた。

お父さんから百円玉を渡され、

「じゃあ、お願いしよう」

と賽銭《さいせん》箱の前に垂れている天井からの鈴紐《すずひも》の前に立った。カラン、カランとお父さんといっしょに鈴を鳴らし、百円玉を賽銭箱に放り投げた。

お父さんにならって手を鳴らし、

「玄三郎が元気になりますように」

と深々頭を下げた。

結構長い時間お願いしたつもりだったけれど、かのこちゃんが頭を上げても、お父さんは隣で手を合わせていた。

お参りを終え、賽銭箱の前の階段を下りながら、

「よし、何からする？」

とお父さんが訊《たず》ねるや、かのこちゃんは待ってましたとばかりに、

「水あめ！」

と叫んで、走りだした。

秋祭りには、お父さんが子どもの頃からあったという水あめの夜店が出る。屋台の向こうにはいつも同じおばあさんがひとりで座っている。かのこちゃんは背の低い机の上に、水槽《すいそう》が置かれた前に立ち、「一回」と百円玉を差し出した。

「はい、三枚ね」

おばあさんがしわくちゃの手で、三枚の小さな銅貨のようなものを渡してくれた。それは、五円玉をさらに薄く三枚にスライスした形に似て、真ん中には穴があいている。長年使いこまれた物なのか、表面は錆《さ》びついて手触りはざらざらしている。かのこちゃんはその一枚を指でつまみ、水槽の上に持っていった。

水槽にはたっぷり水が張られ、その底に三つのおちょこが等間隔に並んでいる。かのこちゃんは、水槽の横からおちょこの真上に指があることを確認して、銅貨を落とした。底までおよそ三十センチの距離を、コインはゆらゆら潜っていく。はじめは真下に向かっているかに見えた銅貨だったが、急に進路を変え、おちょこからだいぶ離れた場所に着地してしまった。

溜《た》めていた息を一気に吐き出し、かのこちゃんはすぐさま新たな銅貨を手に水槽を

のぞいた。今度は水の抵抗を減らそうと考えたのか、水面に対して垂直に銅貨を投じた。真下へ勢いよく落下したコインは「ノ」の字を描くように、あっという間におちょこの脇を抜けていった。

放った銅貨が底面に散らばる何十枚もの仲間に混ざり合うのをうらめしげに見届け、かのこちゃんは早くも最後の一枚を指の間に用意した。

「横にするんだよ」

そのとき、急に隣から声がかかって、顔を向けると、そこにすずちゃんが立っていた。

「こんばんは、かのこちゃん」

「すずちゃん！」

かのこちゃんはまじまじとすずちゃんの顔を見つめた。ひょっとして夢ではないか、と相手の浴衣《ゆかた》の布地までつまんだ。というのも、お賽銭を投げて玄三郎のことをお願いした際、お父さんには内緒で、

「すずちゃんがお祭りに来ますように」

とほんの少しだけ最後につけ加えていたからだ。それがたったの五分で願いが叶《かな》うとは、さすがのかのこちゃんも想像していなかった。

「いつ来たの？」

「たった今、着いたばかり。かのこちゃんも来ていたらいいなあ、ってお父さんと話して歩いていたら、いきなり見つけたからびっくりした」

「すずちゃんもお父さんと来たんだ」

「うん、お父さんは先にお参りしてる」

「ねえ、すずちゃん」

「何?」

「その浴衣、とってもすてき!」

かのこちゃんは万感の思いをこめて叫んだ。白の生地に、淡いピンクの花模様が躍るすずちゃんの浴衣は、お世辞でも何でもなく実にすがすがしい眺めだった。

「かのこちゃんもすごく似合ってるよ。そのおだんごも」

と頭のてっぺんを指差すすずちゃんに、濃紺に赤いトンボが舞っている浴衣の袖《そで》を少し広げ、かのこちゃんは笑顔で返した。

「そうだ、すずちゃん、風邪は?」

「もう元気」

すずちゃんは両腕を水平に伸ばし、力こぶを作るようにぐいと曲げるとニンマリ笑った。

祭りの気分が、二人の間にわだかまっていたものを早々に流し去ってしまったことに、かのこちゃんはまだ気づいていない。それよりも、すずちゃんの登場にかのこちゃんは俄然《がぜん》やる気を再燃させ、浴衣の袖をめくり水槽に挑みかかるように腕を突き出した。

「よし、この一枚入れるから。おちょこに入ったら一本サービスだから」

「水に浮かべるような感じで、ゆっくり落とすといいよ」

いったいどういう動きになるのかまったく想像がつかなかったけれど、すずちゃんの言うことならば、とかのこちゃんは銅貨を水面と平行に置きそっと指を離した。

まるで振り子のように左右に揺れながら、銅貨はゆっくり落下していった。

「よし！　行け！」

かのこちゃんの大声に押されるように、銅貨は優雅なゆらぎを描き、音もなく底の白いおちょこの中心に着地した。かのこちゃんの幼稚園時代から数え四年越しの挑戦が、はじめて実を結んだ瞬間だった。

「すごい！」

かのこちゃんは躍り上がって、すずちゃんの手を取った。

「ずいぶん賢いお嬢ちゃんだね。他のみんなには内緒だよ」

それまでのやりとりを黙って見守っていたおばあさんが笑いながら、イスの隣に置いた一斗缶《いっとかん》に割り箸を突っこんで、透き通った水あめを一度伸ばし、先にくるくると巻きつけて、小さな玉をこしらえてくれた。さらに、ミルクせんべい二枚をあめ玉の両側にくっつけて、「はい」とかのこちゃんに差し出した。かのこちゃんはそれをまずずずちゃんに渡し、「おまけ」の一本を遅れておばあさんからいただいた。

「いいの？　ありがとう」

「どういたしまして」

本殿の脇に立つ、大きなクスノキの下で待っていたお父さんのもとに戻ると、お父さんはとてもがっしりした体格の男の人と話をしていた。

「わたしのお父さん」

とすずちゃんがミルクせんべいをかじりながら紹介してくれたので、かのこちゃんは慌ててお辞儀すると、「はじめまして」とすずちゃんのお父さんも、丁寧にお辞儀を返してくれた。

「本当はね、天気予報で雨が降るかもって言ってたから、今日は行かないはずだったの。それが急にお父さんが行こうって言いだして。慌てて荷物から浴衣を探して着たんだよ。でも、雨降らないね。だって、星が見えてるもの」

参道を見下ろすようにそびえるクスノキの太い幹にはコードが巻かれ、高い位置に設置されたライトが傘《かさ》のように、本殿からの短い石段を照らしている。そのライトを背にしているせいで、すずちゃんのお父さんは、かのこちゃんの目にはまるで大きな影そのものに映った。がっしりとした身体がお辞儀すると、急に影が折り畳まれたように見えた。顔の様子がよくわからないので、かのこちゃんはしきりに首の位置を動かすのだが、やはり背後のライトが邪魔して、なかなかうまくいかない。

ふとすずちゃんが隣で待っている気配を察し、かのこちゃんは慌ててお父さんを紹介した。すずちゃんは少し恥ずかしそうに頭を下げたあと、「鹿《しか》さんと話したお父さんだよね」と素早くかのこちゃんに耳打ちした。

どうしてすずちゃんのお父さんだとわかったの？　とかのこちゃんが訊《たず》ねると、

「すずちゃんのお父さんが声をかけてくれたんだよ」とお父さんは答えた。

「かのこちゃんのことも、お父さんが先に見つけたんだよ」

「え、そうなの？」

「お祭りに来てよかった。だって、かのこちゃんに会えたから」

すずちゃんは水あめのくっついたミルクせんべいを笑顔とともに唇《くちびる》に挟《はさ》んで割った。

「そうだよ、本当はお誘いのお手紙まで用意してくれていたからね」

とすずちゃんのお父さんが深みのある太い声を発した。かのこちゃんは驚いて顔を上げた。どうして手紙のことを知っているのだろう、と高い位置にあるその顔をまじまじと見上げたが、やはり背後の照明のせいで、その表情は影のようにしか映らなかった。思わず「どうして？」と声を発しようとしたとき、

「二人で回っておいで、お父さんたちここでもう少し話しているから」

とかのこちゃんのお父さんが口を開いた。

二人のお父さんはかのこちゃんとすずちゃんに、それぞれ千円札を渡してくれた。ワッと叫んで、かのこちゃんはおし頂くように一枚を受け取った。

「大事に使うんだよ」

というお父さんの言葉に、二人は「はあい」と声を合わせて、割り箸《ばし》で水あめをぐるぐるこねながら、夜店が並ぶ参道へ繰り出した。

数歩進んだところで、かのこちゃんは振り返った。神社の本殿の大きなシルエットの手前で、すずちゃんのお父さんはやはり影になってたたずんでいた。立ち位置がほんのわずか隣のかのこちゃんのお父さんが、上半身をくっきりと照明に浮かび上がらせているだけに、その対比は余計に不思議な眺めだった。かのこちゃんの視線に気づいたのか、すずちゃんのお父さんが手を振った。どうしたらいいかわからないまま、かのこちゃんはお辞儀して慌てて前に向き直った。

その途端、視界いっぱいに色鮮やかな夜店の灯《あか》りがなだれこんできた。一瞬にして心奪われたかのこちゃんは、すずちゃんと競うように人混みへと飛びこんでいった。

＊

千円札はもちろん二人にとってとてつもない大金だけれど、こと祭りの日においては、五回も遊べばすぐになくなってしまう。夜店が設定する値段は意外と高額なのだ。ゆえに二人は慎重に費用対効果を検討しながら、まずはチョコバナナを食べ、それからかのこちゃんの得意な輪投げをした。お面も欲しかったけれど、すでに残金では手が届かなくなっていたので、たくさんのお面が並ぶ屋台の前で、どのお面が好きか真面目に討論した。

かのこちゃんとすずちゃんは好きなお面についてはまったく意見が合わなかったけれど、こと女の子の顔のお面に関しては、嫌いなポイントについていちいち意見の一致を見るところがおもしろかった。

「あんなピンクの髪の毛はいかがかと思う」

二人は輪投げの景品でもらったスナック菓子を頬張りながら、遠慮なくお面を指し示し、改善点を口々に述べ立てた。

ヨーヨー釣りのあとはスーパーボールすくい、最後にくじ引きをして、千円札はきれいさっぱり消えた。赤い紙のくじの山に手をつっこみ、お互《たが》い底のほうから引っ張

りだした一枚をめくった。出てきた番号はどれだろうと、目の前にあふれんばかりに並ぶ商品のなかに当たりを探していたら、

「あい、お嬢ちゃん、二人とも残念！」

と店のお兄さんは見えない場所から、残念賞を取り出し渡してくれた。二人はしばらく呆気《あっけ》に取られた様子で、手元の細長いものを見つめていたが、口につけて息を吹きこむと、笛《ふえ》の音とともに、先端のかたつむりのように巻かれた紙が勢いよく伸びた。それを見た二人は、すぐに笑顔に戻って、「ピロロー」「ピロロー」と笛を吹いては、紙の部分を伸ばしたり縮めたりして楽しんだ。

お金を使い果たしてからも、かのこちゃんとすずちゃんは同じところを何度も回って、綿菓子の膨らんだビニール袋が軒先に並ぶ様を見上げ、射的で大きなお兄さんが尻《しり》を台にのせて、腕をうんと伸ばして狙《ねら》いをつける姿をかっこいいねとささやき合い、やっぱりくじ引きのお兄さんが見えないところから景品を取り出し渡し続けるのを、「ピロロー」「ピロロー」とさせながら端《はた》から眺めた。

かのこちゃんとすずちゃんがお父さんの元へ戻ると、お父さんは石段に腰掛け、ひとりで冷やしパインを食べていた。

「あれ？　すずちゃんのお父さんは？」

「先に帰ったよ。引っ越し屋さんが打ち合わせに来るんだって。大丈夫、ちゃんと送

って帰ります、って約束したから」

心配しないでいっしょに帰ろうね、というお父さんの言葉に、すずちゃんは「よろしくお願いします」と律儀《りちぎ》に頭を下げて応《こた》えた。今も影に覆われている、すずちゃんのお父さんが立っていた場所を、かのこちゃんはどこかぼんやりとした表情で見つめていたが、

「じゃあ、最後にひとつだけやって帰ろうか」

という声に反射的に面《おもて》を上げた。まだやりたいものはあるかい？　と訊ねるお父さんに、すずちゃんと顔を見合わせ、お互い言葉を交わす間もなく視線を戻し、

「花火！」

とそろって大きな声で告げた。

夜店のなかには、いろいろな種類の花火を台一面に並べて売っているところがあり、赤や黄や青に染められた、爆弾のような丸い玉から短いひもが出ている花火を見つめ、いったいどんなふうなのだろう、と二人して真剣な顔で想像を膨らませていたのだ。

いいよ、というお父さんの返事に、二人は歓声を上げて駆け出した。その後ろを「危ないのは駄目だよ」とお父さんは慌てて追いかけた。

お父さんが花火の夜店に到着したときにはすでに二人は台の前に陣取り、目を皿のようにしてきれいに区分けされた、いろとりどりの花火を眺めていた。

二人は小さめの花火セットとへび花火を選んだ。ねずみ花火は、まわりの人に危ないからと案の定、却下された。ただ、爆弾の形をした花火玉をどうしてもあきらめきれないかのこちゃんは、何度もお願いを繰り返し、とうとう二人と離れた場所でお父さんが着火する、という条件で、黄色のやつを一個だけ買ってもらうことに成功した。

神社の敷地内にある公園に場所を移すと、あちこちで花火が行われていた。お父さんは、花火セットに入っていた小さいろうそくを取り出すと、隣でやっている親子連れから火を分けてもらった。

お父さんはベンチの下に置きっぱなしになっていたビール缶を逆さにすると、へこんだ底にろうを垂らして、ろうそくを固定した。

すでに最初の一本を用意していた二人は、競うようにろうそくの先に花火を差し出した。

棒の先から頼りなく飛び出した紙にゆらゆら炎が燃え移ると、しばらくして勢いよく火花が散り始めた。もくもくと昇り立つ煙の向こうに、赤や青や緑の光が飛び散るのを眺めていると、かのこちゃんは暗闇のなかで時間が延びたり縮んだりしているような妙な気分に陥った。しかし、その感覚を上手に言葉にして表すことができず、

「花火って不思議だね」

としかまとめられないのがもどかしかった。

へび花火は点火すると、炎をちらつかせながら勢いよく伸びていった。まさしくへびのように、とぐろを巻いて蠢《うごめ》く様はなかなか気味が悪く、へび花火をはじめてやるというすずちゃんは、どこまでももりもり伸びる黒い影を見て、

「おトイレのあれみたいだね」

と率直な感想を述べた。

「そういえば、わたしたち刎頸《ふんけい》の友だよね」

とかのこちゃんがその言葉からふと連想して思い出すと、

「そうそう、刎頸の友」

とすずちゃんもいかにも久しぶりに思い返したといった笑顔でうなずき、ついでに
「この下の歯がもうすぐ抜けそうなの」と口を大きく広げ教えてくれた。

「私もこの下のやつ、最近ぐらぐらしてきた」

かのこちゃんも負けじとアピールしたあと、

「じゃあ、次はこれ」

とついに花火セットの袋の上に置いてあった黄色の玉を手に取ってお父さんに渡した。

「何だかこわいなあ」

大きめの梅干し程度の玉を手のひらに転がし、お父さんは離れた場所にそれを置い

た。おっかなびっくりといった様子で、ビールの缶を持ってろうそくの火を近づけた。

玉から飛び出した短い導火線に光が走り、突然「シューッ」という音とともに、煙がもうもうと湧き起こった。まったく思いもしない勢いで噴き出たものだから、お父さんは慌ててかのこちゃんの隣まで逃げてきた。

煙のあと、いったいどんな派手な花火が現れるのか、とかのこちゃんはすずちゃんの手を握りしめ、固唾《かたず》を呑《の》んで次の展開を待ち受けたが、いくら待てども火花は散らない。ひたすら、煙が勢いよく噴き出すのみである。

「あれ……？」

すずちゃんの口から、疑心漂う声が漏れたとき、ぱたりと煙がやんだ。

三人はしばらく無言で、暗くなった地面を見つめていた。

「スモークボールだね」

とお父さんがつぶやいた。

「何それ？」

「煙玉だよ。煙だけが出るんだ」

「じゃあ、これで終わり？」

「そうなるね」

思いもしない結末に、かのこちゃんとすずちゃんはしばらくの間、力を抜かれたように突っ立っていた。

「いろいろ勉強になるね」

とぽそりとすずちゃんがささやいた。

かのこちゃんは無言でうなずき、

「これで最後」

と花火セットの袋を探り、残っていた線香花火の束を手渡した。

いまだスモークボールの煙がたゆたうなか、二人は屈《かが》んで線香花火に火を点《とも》した。

忙しく火花が散ったあとにやってくる、筆で短く引いたような線が、芯《しん》から雨のように降り注ぐ終盤が、かのこちゃんは特に好きだった。そのことをすずちゃんに告げると、

「わたしはいちばん最後に溶岩みたいな赤い玉が、じっと震えているところが好き」

とすぐさま自身のこだわりを返してきた。

「ねえ、かのこちゃん」

「なに？」

「水曜日にお別れ会があるでしょ」

その言葉に、すずちゃんと学校で会えるのはあとたったの三日しかないという事実を改めて突きつけられ、かのこちゃんは思わず声を失った。

「わたしたち、おとなのお別れをしよう」

「え、どういうこと？」

かすれた声で、何とかかのこちゃんは訊《たず》ね返した。

「わからないけど、泣いたりするのはなし」

「わかった」

最後の赤い玉が、すずちゃんの花火からぽとりと落ちた。ほんの少し遅れて、かのこちゃんの玉も地面に消えた。どちらが最後までもつか競争していたのに、勝ってもちっともうれしさは感じられなかった。

「そろそろ、帰ろうか」

花火が終わったのを見て、お父さんはベンチから腰を上げ、ろうそくの炎を手のひらで消した。

すずちゃんの手を握り、家まで送っていった。途中、お互いほとんど言葉を交わさず、ただ相手のやわらかい手のひらの感触を、下駄《げた》の音を響かせ確かめ合った。

「送ってくれてありがとう」

「すずちゃんも来てくれてありがとう」

「おやすみなさい、かのこちゃん」

「おやすみなさい、すずちゃん。また明日《あした》ね」

玄関先でお辞儀して、すずちゃんと別れた。家への帰《かえ》り途《みち》、

「すずちゃんのお宅は犬を飼《か》っているの？」

とお父さんが訊ねてきた。

「飼ってないよ、どうして？」

「いやね、すずちゃんのお父さん、犬のことにとても詳しいようだったから。玄三郎が病気だと話したら、どんな具合なのかっていろいろ訊《き》かれてね。ずいぶん心配してくれたんだ」

へえ、とかのこちゃんは思わず声を上げた。玄三郎のことを心配していた、という一点で、すずちゃんのお父さんへの、これまでの薄暗い印象が一気に明るくなるように感じられた。クスノキの下に立つ、影に覆われた顔の輪郭の内側に、いつの間にかやさしげな表情を思い描いていた。

「でも、不思議な感じの人だったなあ。何というか、はじめて話した気がしなかったというか」

「一学期の父親参観のときに会って、話していたのかもよ」

「そうなのかな……覚えてないなあ。でも、よくすずちゃんのお父さん、僕のことがわかったと思うよ。暗い場所に座ってたのに、簡単に見つけたみたいだからね。人一倍、目がいい人なのかな」

とお父さんは腕を組んで考えていたが、

「そうそう、すずちゃんのお父さん、インドにお仕事の都合で引っ越すんだってね」

と急に話題を変え、かのこちゃんがまだ知らなかったことを教えてくれた。

「インドって遠い？」

「遠いよ。とても遠くて、とてもたくさん人がいるところだよ」

お父さんの言葉に、かのこちゃんはうなだれて、下駄の歯をアスファルトにからころと鳴らした。お父さんが「あれ？　ここの空き地、丁寧にシートで覆っていたのに、全部めくれてしまったんだ。先週の台風のせいかな」と隣で声を上げても、横手に広がる空き地を見ようともしなかった。ただ、しばらく進んだ先で、街灯に照らされた白壁にヤモリの姿を認めたときは、すぐに立ち止まってしげしげとのぞきこんだ。この尻尾《しっぽ》を切ったらまた生えてくるのかな、と丸い指を広げてじっと貼りついている小さな生き物に、なかなかひどいことを考えていると、ヤモリが苦手なお父さんに「早く帰ろう」と何度も急《せ》かされた。

＊

お別れ会の当日、かのこちゃんは学校ですずちゃんとあまり話ができなかった。

すずちゃんも、「まだ下の歯が抜けないの」と朝礼帰りの廊下で告げて以降、日がな一日クラスメイトへの対応にかかりきりで、お別れ会でも主役として壇上《だんじょう》の席に座り続けたため、二人でようやくゆっくり話ができたのは学校が終わってからのことだった。

すずちゃんの家は学校を挟んでかのこちゃんの家とは正反対の位置にあるけれど、ランドセルを並べ、すずちゃんを家まで送った。

今夜はこれから空港近くのホテルに向かいそこで一泊して、明日朝の飛行機に乗るのだとすずちゃんは言った。すずちゃんは依然、抜ける寸前だという下の歯の様子を気にしていた。同じくかのこちゃんも、いよいよぐらぐらしてきた下の歯を舌で探りながら、

「歯が抜けるときの、あのめりめりってすごい音は何だろうね」

と問いかけた。

「歯が肉から離れる音じゃないかな」

「それであんなすごい音がするかな？　何だか骨が裂けるような音がしない？」

「でも、きっと他の人には聞こえないんだよ」

「そうなのかなあ」

「歯が抜ける寸前の、あの痛いような痒《かゆ》いような感じが本当に苦手」

とすずちゃんはあと少しで抜けるのに最後の一押しが怖くてできない、と我が身の勇気のなさを訴えた。

「お母さんが歯に糸をくりつけて、ドアノブに結んで、一気にドアを閉めたらすぐ抜けるって言ってたよ」

冗談に聞こえなかったのか、すずちゃんの顔が急にこわばるのに気づいて、

「歯が抜けたあとに舌を突っこむと、深い穴が空いていてびっくりするよね」

とかのこちゃんは慌てて言葉を接《つ》いだ。

「でも、新しい歯がその奥に少し出ているとうれしい」

と相変わらず、唇《くちびる》の向こうで舌をもごもごさせながらすずちゃんはうなずいた。

すずちゃんの家の屋根が道の先に見えてきても、かのこちゃんは明日からのことを何も訊ねなかった。

すずちゃんも明日からのことをひと言も口にしなかった。

結局、すずちゃんとは歯の話をしただけで、玄関前まで到着してしまった。これですずちゃんと本当にお別れかと思うと、どこか呆気《あっけ》ないような、とてももったいないような気がしたけれど、お祭りの日に、泣かないでお別れしよう、と約束したことは最後まで守りたいと思うかのこちゃんだった。

すずちゃんはいったん玄関に入って、ランドセルを置くとふたたび出てきた。

「元気でね、かのこちゃん」

「うん、すずちゃんも」

そのとき、すずちゃんは「あ」という顔をして、大きく目を見開いた。「どうしたの」とかのこちゃんが声をかけるよりも早く、すずちゃんはいきなり背中を向けると、「またね」と玄関ドアを開けそのまま姿を消してしまった。

音を立てて閉じられたドアの前で、かのこちゃんは呆然《ぼうぜん》と立ち尽くした。

まだお別れの途中のはずとすずちゃんの再登場を待ったが、五分経ってもドアはびくとも動かない。

どうやらお別れの時間は終わってしまったらしい。

最後の言葉が「またね」というのも、どこまでもすずちゃんらしいといえばすずちゃんらしかったが、何だか別の意味で泣きたくなる気持ちがこみ上げてきて、かのこちゃんはランドセルを乱暴に担ぎ直し、ドアに背を向けた。

どうしてすずちゃんはいつもこうなんだろう、と今さらながら恨《うら》み節《ぶし》を連ね、来た道を戻ろうとしたとき、

「かのこちゃん！」

と急に頭の上から声が降ってきた。

驚いて首をねじると、二階の物干し台から、すずちゃんが手を振っていた。

「抜けた！」

「え？」

「お別れを言おうとしたら、いきなり口の中に何かが転がって、舌で確かめたら歯だった！　抜けた歯の裏側って、崖《がけ》みたいですごく変な感じ」

すずちゃんは手すり越しに、腕を突き出した。指の間に何となく白いものが見えたが、それよりも笑顔の真ん中にのぞく、ぽっかり空いた黒い隙間《すきま》が何より事実を伝えていた。

「よかったね！」

「ありがとう。でも、ちょっと血の味が気持ちわるい」

「でも——どうして物干しに上がったの？」

すずちゃんは「え」と一瞬驚いた表情を見せたあと、こうするのと突き出した腕を下から振り上げた。

「いい歯になりますように！」

白い影が物干しの屋根の上へ飛んで、音もなく消えた。

思いもしないすずちゃんの行動に、かのこちゃんはポカンと口を開け、歯が消えた空を見上げた。

「知らない？」

「え？」

「下の歯が抜けたら屋根の上に、上の歯が抜けたら縁の下に放ると、次に丈夫な歯が生えてくるんだよ」

いまだ驚き醒《さ》めぬ表情のまま、かのこちゃんは首を横に振った。かのこちゃんの抜けた歯は、へその緒《お》がしまってある木の箱といっしょにお母さんが逐一《ちくいち》大切に保管しているのだ。

「今度、やってみたら？」

「うん、試してみるかも」

舌で歯を押して、ぐらぐらのあとに訪れる鈍い痛みを確かめながら、かのこちゃんはうなずいた。

ふと静寂が訪れて、二人は無言で見つめ合った。

「さらばでござる」

物干しから、すずちゃんは厳《おごそ》かに告げた。

そういえば、お祭りでおとなのお別れをしようと約束したことを思い出し、

「さらばでござる」

とかのこちゃんも重厚に応じた。

「これまで楽しかったでござる、かのこどの」

「拙者《せっしゃ》も楽しかったでござる。達者でな——すずどの」

「宿題の期限は守るでござるぞ、かのこどの」

「牛乳の一気飲みはほどほどにするでござるぞ、すずどの」

すずちゃんを見上げていると、急に鼻の奥がツンとして、目の下あたりが変にじりじりしてきた。「じゃあね」と手を振って、かのこちゃんは顔を伏せた。そのまま、家に向かって早足で歩き始めた。

しばらく進んだところで振り返ると、すずちゃんは手すりから上半身を乗り出すようにして、布団叩《たた》きを高らかと振り上げていた。

「ずっと刎頸《ふんけい》の友でござるぞ、かのこちゃん！」

「一生刎頸の友でござる、すずちゃん！」

「さらば、かのこちゃん！」

「さらば、すずちゃん！」

震えているすずちゃんの声に、せいいっぱい腕を振って応《こた》え、かのこちゃんはふたたび歩き始めた。

それきり二度と振り返らなかった。なぜなら、そこで振り返ったらすずちゃんとの約束を破ってしまったことが、簡単にバレてしまうからである。

泣きじゃくりながら家に帰ってきたかのこちゃんを、お母さんは玄関でやさしく迎えてくれた。お母さんは夕食にかのこちゃんが好きなたらこスパゲティを作ってくれた。お岩さんのように腫《は》れた目で、かのこちゃんはそれをおいしくいただいた。ベッドに入ってからも、ひとりでしばらく泣いた。たくさん泣いたおかげで、朝までぐっすり眠った。

九月はかのこちゃんにとって、別れの月となった。

すずちゃんが日本を出発した四日後、十三年間の生を終え、玄三郎が静かにこの世を去った。

＊

昇降口の大掲示板の前でかのこちゃんが立っていると、「お待たせ」と先生が脚立を持ってやってきた。

「どれを新しく貼るんだっけ？」

先生の問いに、かのこちゃんは二枚の写真を差し出した。

先生は一枚目を見て「すずちゃんだ」と目を細め、もう一枚を見て、「これっていっしょに住んでいたの？　まるで夫婦みたいだね」と声を出して笑った。

かのこちゃんが本当の夫婦だったと告げると、先生は「ご主人は何て名前？」と訊《たず》ねた。

「玄三郎」

ちょうど今日で亡くなって一週間になることを伝えると、「素敵なご夫婦だったのね」と何度もうなずいて、脚立を掲示板の前にセットした。

脚立に上った先生は新しい写真を貼りつけて、「これでよし」とうなずいた。

「それでは、また明日《あした》。気をつけて家まで帰ってくださいね」

脚立を畳んだ先生がお辞儀するのに合わせ、かのこちゃんも頭を下げた。脚立を脇に抱え、先生が職員室へ戻っても、しばらくの間、かのこちゃんは掲示板を見上げていた。

そこには、昨日貼り出されたばかりの、各学年から選出された夏の自由研究の優秀作が一面に展示されている。

真ん中に、ひときわ大きな「マドレーヌのお散歩地図」が陣取っている。かのこちゃんの自由研究は、クラスメイトのみならず、他クラスの先生からも高い評価を受け、堂々一年生の代表に選ばれたのだ。

かのこちゃんが先生に頼んで新たに貼ってもらった二枚の写真は、玄三郎のお葬式のあと、夏休みの写真を整理している最中に出てきたものだった。それを先生は、はじめから貼られていたマドレーヌの全身写真、顔のアップ写真の下に、きれいに縦に並ぶように加えてくれた。一枚目には、縁側に並んではにかんだ笑みを浮かべるかのこちゃんとすずちゃん、その隣で丸まっているマドレーヌが写っていた。お茶会の日に、お母さんが撮ってくれたものだ。二枚目には、頰肉《ほおにく》をめいっぱい上げて、あくびの途中の玄三郎とマドレーヌの姿が写っていた。犬小屋の前でかのこちゃんが撮った、最初で最後となった夫婦写真だった。

そろってひどい顔をしているマドレーヌと玄三郎を、かのこちゃんはまばたきもせずにじっと見つめた。次いでひとつ上の写真に視線を移し、細い手を伸ばし隣のマドレーヌの背中をそっと撫《な》でているすずちゃんに、「昨日ね、わたしも下の歯、抜けたよ」と下唇を引っぱって、抜けたところを見せた。「そうそう、抜けた歯はね――」と続けたところで、小さく笑うと、手を振って掲示板の前を離れた。

げた箱で靴を履き替えて、校庭に出た。

はじめはひとり退屈そうに歩いていたかのこちゃんだったが、何かにつまずいた拍《ひょう》子《し》に妙なステップを踏んでよろめいた。その身体の動きがおもしろかったのか、それから何度も同じステップでよろめき、それがいつしか不思議なリズムを得て、気づいたときには軽快なスキップへと変わり、そのまま跳ねるように校門の向こうへ去っていった。

第四章　かのこちゃんとマドレーヌ夫人

玄三郎《げんざぶろう》がこの世を去って六日目の朝、新聞配達のカブの音で、マドレーヌ夫人は目を覚ました。

あくびと同時に身体を伸ばし、ふがと大きく口を開いた。舌先《したさき》を宙に細かく震わせ、庇《ひさし》を仰いだ。夜が退散したばかりの空は、まだ寝ぼけたみたいにぼんやりと白い。隣家の瓦《かわら》の向こう側が、ようやく淡い紅色《べにいろ》に染まり、あちこちで鳥がさえずり始めた。

夫人は茶室の縁側から地面に降り立った。犬小屋を少しのぞいたあと、門扉の下を潜って道路に出た。

マドレーヌ夫人は空き地を目指す。

途中、幅の狭い一本道で散歩中の大型犬に出会っても、夫人の歩調は変わらない。ともに言葉は通じないが、犬のほうも「玄三郎さんのところの」とわかっているので、お互い距離を取りつつ何事もなくすれちがう。ただ散歩ひもを引く早起きの主人だけが、何の遠慮も示さず通り過ぎる夫人を見下ろし、「図々《ずうずう》しい猫《ねこ》だ」と眉《まゆ》をひそめる。

何度目かの角を曲がったところで、夫人は古びた二階建てアパートの敷地に入りこんだ。自転車が柱に沿って並ぶ通路を進み、隅に置かれた洗濯機に飛び乗った。さらに壁の給湯器へと移る。そこから塀までは、ほんの少し右脚を上げればよい。

幅十五センチの道を、夫人は颯爽《さっそう》と進む。

さほど上体を屈《かが》めず、気持ちあごを上げ、交互《こうご》に前脚を置く姿はどことなく優雅である。

家の区画に沿って分岐し、または接続する塀の路線図は、道路のそれよりよほど複雑にできている。高低差のある塀を乗り継ぎ、角を曲がること左に二度、右に三度。視界が急に開けたところで、夫人は塀から飛び降りた。

「ごきげんよう、マドレーヌ夫人」

空き地への到着を早々に伝える声に、

「ごきげんよう、和三盆《わさんぼん》」

と夫人も朝のあいさつを返す。

夫人が登場した塀とは九十度折れ曲がった位置に続く、白いブロック塀にはすでに先着の和三盆とミケランジェロが尻尾《しっぽ》を垂らして座っている。もっとも、短尾《たんび》の三毛であるミケランジェロの場合、垂らすというよりも、置くという表現が正確かもしれない。

「ごきげんよう、ミケランジェロ」

「ごきげんよう、マドレーヌ夫人。やっぱり、首輪がない夫人を見るのは、どうにも落ち着かないわ」

十日間あまりシートの下に閉じこめられはしたが、残暑の日差しを受け、緑はたくましく復活した。十月半ばに入っても、空き地を覆う草の波は、しなやかに夫人の身体に寄せては返す。

古タイヤが四本積まれた前で、夫人は足を止めた。一度は崩され地面に転がった古タイヤだったが、ときどき空き地でキャッチボールする隣の家の兄弟が、力比べがてら積み直してくれた。おかげで、夫人は以前より一段高い場所から空き地を眺めることができる。

「今日が三日目——あの子が設けた期限ということね。それで夫人はどうするのかしら？　誰《だれ》も強制はできないけれど、私は夫人にこの町に残ってほしい」

和三盆の言葉には応《こた》えず、夫人は軽々とタイヤに飛び乗ると、ホイール部分で遊んでいた小さな羽虫を追いやり、ゆったりと腰を下ろした。

タイヤの上から空き地を見渡すと、塀の足元に黒いシートが大量にくしゃくしゃになって寄っているのが見える。ミケランジェロがある日突然、そのほとんどがめくれ上がっているのを発見したビニールシートは、翌週に台風が大暴れしたせいで、さらに隅へと追いやられた。その後、不動産会社の動きはない。いつまたシートが復活するやもしれぬが、現在、猫たちはふたたび訪れた平穏を満喫している。

「それにしても、あの子はいい子ね。指ばかり吸っているときは、ずいぶんぼんやりした子だと思っていたけれど」

「ええ、いい子。とても賢い子」

「じゃあ嫌いじゃないのね？」

「嫌いじゃないわ。むしろ、好きなくらい」

「それでも行ってしまうの？」

無言のまま前脚をなめて朝の毛づくろいを始めた夫人を見下ろし、和三盆はため息をついて、ゆらりと尻尾を跳ね上げた。キジトラの長い尻尾が鼻先すれすれを通過したものだから、背後に座るミケランジェロがひどく嫌そうに顔を退《ひ》いた。

「町から町へと移っていく暮らしも、きっと素敵なんだと思う。でも、ここにいる猫みんなが、明日《あした》も変わらず夫人と会いたいと願っていることを忘れないで」

とめずらしく皮肉を含まぬ真摯《しんし》な響きとともに和三盆が訴えると、

「キャンディーともお別れしちゃったし、これで夫人まで失うなんてさびしすぎるわ。あ、こう言うと、何だか夫人まで死んじゃうみたいに聞こえるけど」

とミケランジェロも真面目《まじめ》な声で続いた。

古タイヤの周囲に散らばってうずくまる他の猫たちからも、同様の言葉が贈られるのを、夫人は黙々と顔を洗いながら聞いたのち、

「ありがとう。感謝するわ、みなさん」

と深く頭《こうべ》を垂れたついでに、後ろ脚で首のあたりを掻《か》いた。首輪がないため、何ものにも邪魔されることなく、後ろ脚が豪快にアカトラの毛を乱していく。

新たに三匹のメス猫が空き地に到着し、いつものメンバーが集まったところで、塀の上の和三盆がさっそく人間批判を始めた。高価そうな銀色のプレートがはめられた首輪からもうかがえるとおり、和三盆は裕福な家の外飼い猫だ。しかし、いたれりつくせりの厚遇を人間から約束されているにもかかわらず、主人一族への批判精神はきわめて旺盛《おうせい》である。

和三盆は語る。かつて、古代エジプトでは猫が神として崇《あが》められていた。それを知ったペルシア軍は、最前列の兵に猫を抱かせ、盾《たて》代わりにしてエジプトを攻めたてた。猫に向かって矢を放てないエジプト軍は、無抵抗のままペルシア軍の前に敗北を喫したらしい――。和三盆の家の主人は、著名な学者として世間で名が知れているそうだ。その学者先生が夕食の食卓で語ったという話を披露したのち、和三盆は苦々しく続けた。

「どこの猫がそんなに長い間、人間に、しかもむさくるしい男の腕に抱かれたまま、じっとしているものか」

大事にするならするで、もう少しましなエピソードを作れないのか、と和三盆が人

間の想像力のなさを嘆く横で、ミケランジェロは、

「そのころのエジプトにぜひ生まれたかったわ。あの下品で乱暴なバイクのエンジン音も、隣の家から延々鳴り続けるあの耳障りな目覚まし時計の音も、きっと存在しなかったでしょうから」

と率直にいにしえの文明をうらやんだ。

その間、夫人は自らほとんど発言することなく、いつものように周囲の話に静かに耳を傾けた。話の盛り上がりが一段落したところで、

「それでは、みなさん。お先に失礼するわ」

と夫人は上体を起こし、しなやかに全身を伸ばした。

「もう行ってしまうのね。毎度、つまらない話ばかりして申し訳なかったわ、マドレーヌ夫人」

「いいえ、あなたの話は、いつも猫の心に一石を投じる何かがあるわ、和三盆」

「まあ、ずいぶん光栄ね」

「さようなら、和三盆」

「さようなら、マドレーヌ夫人」

「私はさようならは言わない。だって、明日も会えるときっと信じているから。それに、夫人は首輪をつけているほうが絶対に素敵だと思うもの」

「ありがとう、ミケランジェロ」

「そうだ、夫人――こんなときになって申し訳ないけど、帰る前にひとつだけ、お願いを聞いていただける？」

「何かしら？」

「何かお話ししてくださらない？　だって、夫人はいつもそうやって静かに聞いてばかりだったじゃない。最後に――いえ、最後のはずはないけれど、一度でいいから、私たちにお話をして聞かせてほしいの」

唐突なミケランジェロからの申し出に、明らかな戸惑いの様子を見せる夫人に、

「それはぜひ、私からもお願いしたいわ」

と和三盆がニヤニヤした声で続いた。

周囲からも続々湧《わ》き起《お》こる要望に、夫人は古タイヤのホイール部分をたっぷり三周してから、結局多くの声に押されるようにしてふたたび腰を下ろした。

ちょっとした歓声に包まれながら、夫人は緊張をほぐすためか、大きくあくびして身体を震わせた。それっきり、十分以上無言で空を見上げていたが、

「これは――あるオスの老犬と、あるメスの猫と、ある人間の女の子のお話」

とゆっくりとした口調で語り始めた。

＊

決して上手とは言えない、むしろ、たどたどしさが目立つ語り口だったけれど、夫人の話は空き地のメス猫たちをあっという間に魅了した。

というのも、その内容が、およそ普段の夫人の印象とはかけ離れた、とても想像力溢《あふ》れる、手に汗握る冒険譚《たん》だったからである。

話は、ある猫が同じ家に住む老犬から、「猫股《ねこまた》」という言葉についてレクチャーを受けるところから始まった。失礼な作り話だ、とはじめてその話を聞いたときは憤慨した猫だったが、昼寝して目覚めたところで驚いた。なぜなら、尻尾《しっぽ》が見事に二股に分かれていたからだ。猫は逃げるようにして往来に飛び出した。すると、たまたま出会った人間の女性にどういうわけか、化けてしまったのだ。

否応《いやおう》なく、人間の女性として行動する羽目になった猫が、その後直面する受難の数々。プールのシーンで空き地の猫たちはそろって甲高《かんだか》い悲鳴を上げ、人間の子どもたちの暴虐ぶりに、

「ああ、何とおそろしい」

と天を仰いで嘆じた。

されど舞台は一転、どこか聞き覚えのあるビニールシートに覆われた空き地での奮闘シーンに移ると、いっせいに喝采《かっさい》が湧き、さらに老犬への贈り物を肉屋で買い、それが相手の夢に出てきたというくだりでは、種の境界を超え、すべての猫が「まあ、素敵」と甘い雰囲気に浸った。

「それこそ散々な一日だったけれど、一方で、とても実のある一日だったとも言えるわ。ひとつは、空き地のこと。もうひとつは、ドッグフードがとてもやわらかいものに変わったこと。これはプールで、猫が飼《か》い主《ぬし》の女の子に出会ったときに頼んだことを、ちゃんと女の子が守ってくれた結果だったの。歯が悪くなっていた老犬は、とてもよろこんで新しいドッグフードを食べたわ」

冒険を終えた猫が、ひと眠りして目が覚めたら元の身体に戻っていた、というところで夫人が話を締めくくると、すっかり聞き入っていた猫たちはため息をつき、次いで口々に称賛の声を上げた。

「すばらしいわ、マドレーヌ夫人。こんなにおもしろい話は生まれてはじめて。まるで本当のお話みたい。興奮してしまったわ」

感に堪《た》えないといった様子で、塀の上から和三盆も夫人の話を褒《ほ》め称《たた》えた。

「ありがとう――でも、あと少しだけ、つけ加えてもいいかしら」

「あら、まだ続きがあるの？」

「ええ、よかったら聞いてくださる？」

「もちろん！　話してちょうだい」

夫人はひと息つく意味で、前脚で両側のヒゲを丁寧に撫《な》でつけたのち、ふたたび口を開いた。

「その日以来、ちゃんと約束を守ってくれた女の子に、猫は何とかお礼を伝えたい、と考えていたの。そんなおり猫は女の子から、悩み事を聞かされたわ。女の子は、神社のお祭りに友達を連れて行きたかったのだけれど、うまく約束ができなかったの。お祭りで友達と会えるかな、と不安そうにつぶやく女の子の声に、猫は何かを感じ取ったわ。さらに、病院から帰ってきた老犬を、家の人間が建物のなかに入れて様子を見ようと言うのに反対して、猫のそばに置くよう女の子が主張してくれたとき、猫はすべきことを、はっきりと理解したの」

「わかった、恩返しね！」

「そうよ、ミケランジェロ」

「それでいったい、何をしたの？」

と先を急《せ》かす声に、夫人はどこまでも落ち着いた語り口で続けた。

「もう一度、試してみることにしたの」

「試す？　何を？」

「人間に化けることを」

病院から帰ってきたばかりの老犬に、猫は女の子の友達の名前を告げ、どこに家があるのか探ってほしい、と頼んだ。老犬は理由も訊《き》かず、たまたま家の前を夕方の散歩に訪れていたポメラニアンに、塀越しに何事か告げた。

ほとんど間をおかず、塀の向こうでポメラニアンがけたたましく鳴き始めた。それを聞いて、近所の犬たちが次々と吠《ほ》え立《た》てた。鳴き声は町内をあっという間に席巻《せっけん》し、それは大きなかたまりとなって、徐々に西の方向へと移動していった。

「聞こえるかい？」

十分ほどが経過したのち、老犬の声に猫は静かにうなずいた。先ほどまでの町をあげての喧噪《けんそう》はどこへやら、今やすっかり静寂があたりを包んでいた。ただ、遠く、およそ八百メートル離れた一郭で、室内犬らしき甲高い声が、たったひとつだけ放たれているのを、猫の鋭敏な聴覚は逃さなかった。

「あそこね」

「僕にはもう聞こえないけれど、遠いかい？」

「ええ、ちょっと遠いわ。ごめんなさい、あとひとつだけお願いがあるの。もう一度だけ、『猫股』の話をしてちょうだい」

今度は「どうしてだい？」と笑いながら訊《たず》ねる老犬に、

「それしか、理由が思いつかないから」

と真剣な声で猫は答えた。

老犬はそれ以上訊ねることなく、「猫股」の話をふたたびしてくれた。

老犬の話を聞き終えた瞬間から、頭の奥底より強い眠気が湧き上がってくるのを猫は感じた。眠気にあらがえなくなるまで、時間の猶予《ゆうよ》はさしてあるまい。猫はすぐさま出発を決意した。

「今から私、あの場所に向かうわ。でも、迷わずにたどり着けるかしら」

猫の世界はとても狭い。たとえば、猫にとって「お散歩地図」というものがあるならば、その地図の枠外に出ることは、世界の外に踏み出すこととほぼ同義なのだ。

猫の不安を聞いた老犬はゆっくり身体を起こすと、空に向かって、いきなり吠え立てた。

「さあ、行きなさい。仲間たちがきみを導く」

そう短く告げて、老犬は少しつらそうに身体を折り曲げ、ふたたび地面に伏《ふ》した。

普段はほとんど吠えることのない老犬が急に大きな声を上げたことに驚いて、家で留守番していた大人の女性が庭に出てきたとき、すでに猫の姿は庭から消えていた。

塀を乗り越え、外に降り立った猫は、全速で駆けだした。

自分の場所がどこなのか、どこへ向かっているのか、何もわからなくなってもひたすら走り続けた。風を受け耳は後ろに靡《なび》き、ヒゲは顔に貼りつき、尻尾は地面すれすれを這《は》った。爪《つめ》はアスファルトを豪快に蹴《け》り、地面を掻《か》いた音が背後から遅れてやってきた。

「マドレーヌ！」

「マドレーヌ！」

「マドレーヌ！」

ただ、自分の名を呼ぶ声に従って、猫は塀を駆け上がり、屋根から屋根へ乗り移り、飛び降りたついでにアルファロメオのボンネットを蹴り、埃《ほこり》まみれのひとり用トランポリンの脇《わき》を駆け抜けた。途中、芝が一面に張られた大きな庭を、数倍の身体の大きさを誇るシェパードが、

「マドレーヌ！　マドレーヌ！」

と吠え立てる、そのほんの一メートル隣を走り去ったときは、まったく生きた心地がしなかったが、猫が通過した途端、シェパードはぴたりと吠えることを止め、その後ろ姿を静かに見送った。

猫を導いたのは、犬たちの声だった。

少し聞き取りにくい発音ながら、「マドレーヌ！」と犬たちが叫ぶ声が、猫を目的地まで一直線に走らせた。犬の言葉にはない発音を繰り返すよう頼んだのは、言うま

でもなく老犬だった。出発前、老犬がせいいっぱいの声を発し伝えたこと――それは、目的地までの間に住む仲間たちに、猫を誘導する合図を復唱してほしい、というお願いだった。

「マドレーヌ！」

意味もわからないまま、犬たちは老犬の頼みを忠実に守った。おかげで、猫はものの十分もかからず、目的地まで最短距離でたどり着くことができた。すでに「猫股《ねこまた》」の言葉を聞いてから湧き起こっていた眠気は、極限に達しようとしていた。出発前、庭先で聞いた小型犬の鳴き声が階下から伝わってくるのを確認して、猫はほとんど崩れ落ちるように屋根の上で眠りに落ちた。

いったい、どれくらい寝てしまっていたのか。目が覚めるや否や、猫はがばと身体を起こした。上体をねじり、すぐさま尻尾《しっぽ》を確認した。

立派な、二股になっていた。

次いで、時間の経過を知るべく、屋根に立っているテレビのアンテナの影の位置を探った。さいわいにして、眠る前と影の位置にほとんど変化はない。

夏休み、一度家に遊びに来たときのにおいから、女の子の友達が動物を飼っていないことを猫は知っていた。したがって、目指す家はこの真下ではなく、周辺にあるはずだった。

焦《あせ》る気持ちを抑え、猫は屋根のもっとも高い位置まで上った。

するとの唐突に、目の前に女の子の顔を発見した。

細い道路を隔てて、対面に建つ家の二階窓に、空の様子をうかがう見覚えある顔が映っていた。

うっかり目が合う前に、猫は屋根から塀に降り立った。正面のガレージに、大柄《おおがら》な男性が段ボール箱を担ぎ、開け放しにした玄関から出てくるのが見えた。引っ越しの準備だろうか、ガレージにはすでに段ボール箱がうずたかく積まれている。

首をねじって、尻《しり》のあたりを確かめた。二本の尻尾がゆらゆらと「V」の字を描いていた。塀から飛び降り、人気《ひとけ》ない道路を横断した。男性は段ボール箱を置いて、すでに家のなかに戻っている。猫は三段に積まれている箱の上に飛び乗り、覚悟を決めて腰を下ろした。

「ああ、重い」

今度は段ボール箱を二つ抱え、男性が玄関から姿を現した。視界が塞《ふさ》がっているため、前を見ることができない。箱を地面に置き、腰をさすりながら面を上げたとき、ようやく箱の上に座っている猫の存在に気がついた。

猫は箱に垂らしていた尻尾をゆっくりと持ち上げた。

自《おの》ずと猫の身体の後方に注意を引かれた男性の表情が急に固まった。「な、何だ?」

と裏返った声とともに、男性は大きく目を見開いて、猫の顔に視線を向けた。

その瞬間、身体が膨らむような感覚とともに視界が持ち上がり、

「ニャア」

という変な声が聞こえた。

気づいたときには、目の前に段ボール箱に座り、ぼんやりと宙を見上げる猫の姿があった。こちらが声を発する前に、猫は飛び上がって庭のほうへ逃げていってしまった。

手のひらを視界まで持ち上げて、足を動かした。頭に触れ、声を発し、完全に人間に成り代わったことを、あまりありがたくない気持ちで確認した。

玄関から家の中をのぞき、大きな声で女の子の名前を呼んだ。すると、二階から先ほど窓越しに見かけた女の子が元気よく下りてきた。

「猫はすぐさま女の子に出発を告げたわ。急いで浴衣《ゆかた》に着替えた女の子を連れて、猫はお祭りに向かったの。神社には、これまで見たことのないくらいたくさんの人間が詰めかけていて、たいそう気分が悪かったけれど、何とか我慢して、猫はとうとうふたりの女の子を引き合わせることに成功したの」

その後、無事猫の身体を取り戻したところまで話し終えると、夫人は大きく息を吐き出し、「これで、おしまい」と短く添えた。

あまりの物語の展開に圧倒され、誰も声を発しようとしなかった。静物のように動かない猫たちを、草の陰から湧き起こる虫の音がひっそりと包んだ。

「つまり——その猫は人間の女の子から受けたお礼を、きっちり返したということね」

としみじみとした声で、塀の上の和三盆がつぶやいた。

「すっかり長話をしてしまったわ。ごめんなさい、こんなつもりじゃなかったのに」

と夫人は腰を上げ、めいっぱい伸びをした。

「すばらしかったわ、マドレーヌ夫人。きっと一生、忘れない話だと思う」

「ありがとう、和三盆」

「やっぱり、これが最後の一度なんてウソ。私、これから毎日でも夫人の話を聞きたいもの。だから、明日《あした》も待ってる」

「ありがとう、ミケランジェロ」

空き地じゅうの猫からのあいさつに、一匹ずつ名前を呼んでは返し、夫人が古タイヤから下をのぞいて、前脚をそろえた。

「さようなら、みなさん」

「さようなら、マドレーヌ夫人」

古タイヤから降り立ち、いまだ興奮の余韻《よいん》が後引く空き地を、夫人は静かに退場した。

行きとは別のルートで、夫人は家に向かった。庭に戻ると、ちょうどかのこちゃんが起きたところなのか、家のなかがどたばたとやかましい。夫人はボウルの水をなめたのち、犬小屋をのぞいた。二日前の雨でずいぶん薄まったが、今もわずかに残る玄三郎のにおいを確かめてから、縁の下の柱に短く小用を足した。

縁側には依然、珊瑚《さんご》色の首輪が置かれたままなのをちらりと目の端で捉《とら》え、夫人は家の裏手に回り、壁に寄りかかる古い焼却炉《しょうきゃくろ》を経て物置の屋根に上った。そのまま身体を横たえて、空き地で慣れぬことをしたせいで高まった緊張をほぐすべく、ひと眠りした。玄関のドアが勢いよく開き、かのこちゃんが「行ってきます」と大声で告げた拍子《ひょうし》に一度目を覚ました。すぐには外に飛び出さず、いったん庭の様子をうかがったのち、門扉を開け学校へ向かったかのこちゃんの気配を、うとうととした意識の底で感じ取った。

一時間後、眠りから覚めた夫人は物置から降りて、犬小屋に寝場所を変えた。そこでしばらく時間を過ごしたのち、雲が晴れて陽があたるようになった縁側に移った。あたたかな日差しのなかで目を細め、改めてかのこちゃんとの期限について考えた。

＊

玄三郎の死から三日後、室外機の上で寝ている夫人のもとにかのこちゃんがやってきた。

「今日ね、玄三郎のお葬式してきたよ。本当はマドレーヌも連れて行ってあげたかったんだけどね」

室外機の前にしゃがみこみ、赤く目を腫《は》らしたかのこちゃんは夫人の眉間《みけん》からおでこにかけてを、親指で何度もやさしく撫《な》で上《あ》げた。

「お父さんとお母さんにも相談したけど、マドレーヌは玄三郎の奥さんでしょ？　玄三郎がここにいるから、マドレーヌもいっしょにいてくれたと思うの。だから、玄三郎がいなくなってしまって、マドレーヌはもうどこへ行ってもいいんだよ。もちろん、うちにいてくれるのがいちばんだけど、それはマドレーヌが決めたらいいと思う」

そう言って、かのこちゃんは夫人の首輪を外してくれた。かのこちゃんは夫人が人間の言葉を解するとまるで信じて疑わない様子で、

「三日後、学校から帰ってきたときに、もしもまだいてくれたら、そのときはもうマドレーヌはずっとうちの猫だから。また首輪つけちゃうから」

と真剣な表情で告げた。

久々に首のまわりが解放された感覚に戸惑いながら、夫人は密《ひそ》かに驚きを嚙《か》みしめた。なぜなら、かのこちゃんの言葉は夫人の気持ちをそのまま代弁したものだったからである。

夫人はこれまで、決して一ヵ所にとどまらず、住むべき場所を常に変えるという生き方をしてきた。そういう生き方しかできない猫だった。一年以上もひとところに留まったのは、夫人にとってはじめてのことだ。それもひとえに玄三郎という存在があったからだった。空き地に集う和三盆やミケランジェロの存在があったからだった。この町には、夫人が生涯はじめて得た夫と友がいた。はじめて得た「マドレーヌ」という自分だけの名前があった。

かのこちゃんが設けた期限までの三日間、その三分の二を相変わらず眠りに費やしながら、夫人は真摯《しんし》に考えた。玄三郎を失ってからというもの、かつての感覚が少しずつ蘇《よみがえ》りつつあることを夫人は敏感に悟っていた。かのこちゃんから首輪を外され、夫人が真っ先に感じたのは、驚くほど近くに旅立ちの時節の気配がうずくまっていたことだ。

かのこちゃんは夫人に自由を与えた。だが、馴染《なじ》みあるはずの自由の前で、夫人は戸惑っていた。いつの間にか、自由というものが、夫人のなかでその価値を変えてしまっていたからである。

かのこちゃんが学校から帰ってくるまであと半日、いまだ答えが出ぬまま、夫人は縁側でさらに姿勢を崩し横たわった。家の中から、お母さんが掃除機をかけている音が聞こえてきた。庭の隅にはまだ玄三郎の鎖が丸まったまま、水道の蛇口《じゃぐち》の下にうずくまっている。赤いエサ皿はいつの間にか見当たらず、夫人との共用だった銀色のボウルだけが、今もさびしく水を湛《たた》えていた。

夫人は大きくあくびして、十月の陽気を確かめた。口を閉じた拍子に、ふと縁側の隅に視線を向けた。

珊瑚色の首輪の下に、何か紙のようなものが挟まっている。空き地から帰ったときにはなかったから、どうやらかのこちゃんが学校へ行く前に置いていったものらしい。

夫人は腰を上げ、首輪に近づいた。その下にあるものを、輪っかの内側にのぞいた。

それを見た瞬間、玄三郎のにおいがふっと夫人を包みこんだ。最後の夜、虫の合唱に混じって伝わる、玄三郎の乱れた息の音が耳のすぐそばで聞こえてきた。

九月に入ってからの、急激ともいえる玄三郎の衰弱ぶりを、夫人は為《な》す術《すべ》なく見守るほかなかった。病院に玄三郎を連れて行っては、暗い表情で帰ってくるお父さんの顔を見るたび、夫人の心はきりきり痛んだ。

もはや食べ物がいっさいのどを通らなくなった日に、玄三郎は「もう駄目みたいだね」と力なくつぶやいた。夫人は何も言えず、物置の屋根に上り、丸まって泣いた。

最後の夜は、唐突にやってきた。

苦しそうな呼吸を繰り返す玄三郎の前で、夫人は落ち着きなく犬小屋の前をうろうろするばかりだった。

「家のみんなを呼んでくる」

たまらなくなって、夫人は玄三郎に訴えた。

「大丈夫、まだ窓を開けて寝ているから、網戸《あみど》を破って入る。きっと気づいてくれるはずよ。インターホンだってその気になれば押せる」

「駄目だ」

犬小屋の入り口からせり出すように、前脚を伸ばし、そこへ斜めにあごをのせていた玄三郎が静かに口を開いた。

「どうして？　だって、このままじゃ――」

「そうしたら、僕は家のなかに連れていかれてしまう。きみに二度と会えなくなってしまう。僕はずっときみといっしょにいたいんだ」

夫人の言葉を遮《さえぎ》り、乱れた息もそのままに、驚くほど力強い声で玄三郎は告げた。

「で、でも、それだとあなたが」

「それでいいんだ」

それでいいんだよ、と繰り返し、玄三郎はそれまで閉じていた目を開け、すっかり濁った瞳《ひとみ》を夫人に向けた。

「どうして——？」

思わずヒステリックに声のトーンを上げた夫人に、玄三郎は何を当然なことを、とでもいうように、

「だって、きみは僕の妻じゃないか」

とどこまでもやさしい口調で、少しだけ笑った。その一瞬だけ、不思議と荒れた呼吸が静かになった。

夫人はもう何も言わなかった。

ただ、玄三郎の前に座って、白髪が目立つ顔を何度もなめた。

東の空が、ほんのわずかだけ白みがかってきた頃、玄三郎の呼吸が急に速くなった。

「痛い？」

「もう痛くないよ」

すでに意識が遠いのか、ぼんやりとした声で玄三郎は答えた。それきり、どれだけ夫人が呼びかけても、玄三郎は二度と応答しなかった。

ふっと呼吸が穏やかになった。

玄三郎はまぶたを持ち上げ、触れんばかりに顔を近づける夫人に焦点《しょうてん》を合わせた。

「さようなら、マドレーヌ」

それが最後の言葉だった。

明け方、玄三郎の様子を見に庭に出てきたお父さんは、犬小屋の前で腰を下ろしている夫人の姿を見た瞬間に、何が起きたかわかった、と玄三郎のお葬式のとき、かのこちゃんに語った。

お父さんは夫人の隣にしゃがみこむと、玄三郎の顔を丁寧に撫でた。手を置いたまま、声を出さずに泣いてから、

「ありがとう、マドレーヌ」

と夫人の頭をやさしく撫でてくれた。

そのときのお父さんの大きな手のひらが頭上を覆った感覚を思い起こしながら、夫人は縁側に置かれた首輪を見下ろした。

輪っかの中央で、そろってあくびしている、自分と夫の写真をいつまでも見つめていた。

エピローグ

普段はほぼ決まった時間に学校から戻ってくるかのこちゃんが、今日はどうしたわけか三十分ほど遅れて家に帰ってきた。何かあったのと玄関先で訊《たず》ねるお母さんに、

「今日ね、『マドレーヌのお散歩地図』が一年生の自由研究の代表に選ばれたの。それで先生がさっき、昇降口の大きな掲示板に地図を貼ってくれたんだよ！」

と飛び跳ねながら報告し、ランドセルを預けた。「歯は抜けた？」というお母さんの問いに、「まだ」と首を横に振り、「ちょっと庭に行ってくる」とふたたびドアに手をかけた。

玄関から出たかのこちゃんは、うって変わって神妙な表情で、建物の陰から顔をのぞかせた。

真っ先に縁側を確認した。次いで木の根元、塀の上、庭じゅうに素早く視線を送った。どこにもマドレーヌの姿は見当たらず、かのこちゃんはきつく口元を横一文字に結んだまま、庭を横切った。室外機をのぞき、奥まで進んで物置の前を見渡した。焼《しょう》却炉《きゃくろ》に脚をかけて、屋根の上も調べた。

かのこちゃんは庭に戻ると、さびしげに縁側に腰を下ろした。隅に置いてあった珊《さん》

瑚《ご》色の首輪を手に取り、両手のひらに挟《はさ》んでくるくると回した。首輪の下に置かれたままの写真を見つめながら、かのこちゃんはふと一ヵ所だけまだ確かめていない場所があったことに気がついた。

かのこちゃんは立ち上がると、縁側からはちょうど背を向ける形になっている、今や主なき犬小屋に近づいた。静かに高鳴る胸の鼓動を感じながら、ゆっくり入り口をのぞきこんだ。

「マドレーヌ」

アーチ型の内側から寄越されるアカトラの物憂げな視線を期待したが、誰《だれ》もいない空洞がぽっかりと待ち受けているだけだった。

泣き笑いが混ざり合ったような表情で、かのこちゃんは縁側に戻ってきた。首輪を置いて、替わりに手に取った写真をぼんやり眺め、

「そうだ、この写真と、すずちゃんといっしょに撮った写真、散歩地図に新しく貼ってもらえないかな？　明日《あした》、先生に頼んでみようかな」

などと思いを巡らせていると、急に「あ」と声を発して大きく目を見開いた。

しばらく宙を睨《にら》みつけ、おそろしく難しい顔で何かを考えている様子だったが、口に指を持っていくと、白いものをその間に取り出した。

やっと抜けた下の歯をしげしげと見つめていたが、ふと首をねじって頭上の様子を

確認した。それから何度も手元から上空へ視線を行き来させていたが、ついに覚悟を決めたのか、小さな手をぎゅっと握りしめ、

「いい歯が生えますように！」

と思いきって屋根に向け放り投げた。

屋根の上で何か小さな音がしたような気がしたが、はっきりとわからなかった。

空を仰ぎ、しばらく歯が抜けたあとを舌《した》で探っていたかのこちゃんだったが、おもむろに親指を両の鼻の穴に突っこむと、残りの指をゆらゆらさせ始めた。

茶室に顔をのぞかせたお母さんが、食卓の上におやつが置いてあるから、手を洗ってからね、と告げていった。歯のことを言ったら怒られるかな、と思いながら、かのこちゃんは身体をねじって網戸越しに「はあい」と大きく返事した。

姿勢を戻した拍子に、膝《ひざ》に置いたままの首輪が、ことりと縁側に落ちた。かのこちゃんは首輪を手に取ると、何気なしに留め具を外し、弧を描く革の弾性を楽しんでいたが、ふとカチューシャのようにすっぽりと頭に載せると、ふたたび鼻てふてふを始めた。

あと、もう少し、マドレーヌを待とうと決めた。

謝辞

本作品を執筆するにあたり、こころよく取材を受け入れてくださった三鷹《みたか》市立第一小学校の先生方と、ちょうどアキレス腱《けん》を断裂したばかりでギプス姿の著者に、興味津々《しんしん》の眼差《まなざ》しで「どうしたの？」と訊ねてきて、「アキレス腱を切ったんだよ」と答えたら、「骨折?!」と元気いっぱい返してくれた一年生のみなさんに、心から感謝の気持ちを表します。

万城目　学

解説

松田哲夫（編集者・書評家）

＊２００６年7月22日（土）
万城目さんのデビュー作『鴨川ホルモー』を読み、その桁外《けたはず》れの面白さにぶっ飛んだ。京都の大学生たちの冴《さ》えない日常が描かれているかと思うと、いつの間にか疾風怒濤《どとう》の闘いに巻き込まれ、最後には、友情あり、恋愛あり、涙あり、笑いあり、感動ありの大青春スペクタクルになっている。何と言っても「ホルモー」なるものを堂々と登場させてくるふてぶてしさには呆然《ぼうぜん》とするしかなかった。早速、「王様のブランチ」で取り上げる。

＊２００６年12月23日（土）
「第5回 輝く！ブランチＢＯＯＫ大賞・新人賞」は万城目さんに決定。万城目さんの受賞の言葉を撮るのに同行して、はじめてお目にかかる。破天荒な作品を書いた人とは思えない、品のいい快活な青年だった。「この作家と仕事をしてみたい」という

編集者としての夢が大きくふくらみ、「いつか一緒に仕事させて下さい」とお願いする。

＊２００７年３月15日（木）
池之端《いけのはた》の日本料理店で打合せをかねて会食。ぼくは、若い人向けの「ちくまプリマー新書」を創刊して、橋本治《はしもとおさむ》さん、天童荒太《てんどうあらた》さんには短めの長編小説を書いてもらっていると話す。万城目さんは、この新書での書き下ろしに興味を示してくれた。彼はこれまで、スケールの大きい話を書いてきたが、日常の中で不思議なことが起こる話も書いてみたいので、小学一年生の「かのこちゃん」という女の子が主人公のお話を考えていると話してくれる。帰り道、万城目さんがぼくの家の近くに住んでいることが判明して驚く。

＊２００７年４月21日（土）
「王様のブランチ」で『鹿男あをによし』を取り上げ、「よくぞ、こんな荒唐無稽《こうとうむけい》な妄想ストーリーを思いつくもんだと感心してしまう」とコメントする。

＊２００９年３月14日（土）
「王様のブランチ」で『プリンセス・トヨトミ』を取り上げ、「個性的なキャラクター、ユーモラスな話、突然、別世界の扉が開いてとんでもないことが起きる」とコメントする。

＊２００９年３月24日（火）
万城目さんと蕎麦屋《そばや》で打合せ。かのこちゃんに加えて猫のマドレーヌ夫人という主役を考えていると話してくれる。いよいよ執筆にかかるとのこと。後ほど、彼が近所で目撃した、猫と犬が一緒に暮らして（？）いる写真を送ってきた。

＊２００９年５月８日（金）
万城目さんから、「学校にいる小学一年生の姿を見てみたい」との希望が出された。そこで、三鷹《みたか》市役所を通して、三鷹市立第一小学校に許可をとり、見学にいった。万城目さんは、その場の雰囲気をしっかり観察していて、先生の「額にひさしのように手を置き、教室を眺めまわす仕草」や「でんきがかり」などを作品に効果的に取り込んでいった。（第二章に、マドレーヌ夫人がプールで、大の苦手の水と悪戦苦闘する場面があるが、これは、七月七日の二回目の学校訪問で見学した光景が、ほぼそのま

ま再現されている。）

＊２００９年６月24日（水）

『かのこちゃんとマドレーヌ夫人』の最初の原稿が届く。プリントアウトする間ももどかしく、読み始める。冒頭から引き込まれてしまった。そうなのだ、万城目さんの作品は、導入部からその物語世界に一気に連れて行ってくれるのだ。その秘密は、卓抜な文章力にあるのだと思う。例えば、「まるで海に描かれた航跡のように、一本の淡い線が緑のじゅうたんを走る」という爽《さわ》やかな比喩《ひゆ》によって、雑草の生えた空き地を猫が颯爽《さっそう》と過《よ》ぎっていく姿がありありと浮かんでくるではないか。この先にもみごとな比喩が登場してくる。マドレーヌ夫人の伸びをする姿は「オーブントースターの網《あみ》にひっついた餅《もち》を引っぱった眺めにも似て」いるし、かのこちゃんにとって難しい漢字は「まるで魚の骨がでたらめに重なり合ったような字」に見えるのだ。

それはさておき、まずは鮮やかな「かのこちゃん」の登場である。いかにも小学一年生らしいのだが、旺盛《おうせい》な好奇心と探求心は、微笑ましくも清々《すが》しい。「親指しゃぶり」をやめるとともに啓《ひら》かれた知恵は止《とど》まるところを知らない。子どものもつ素朴さと、ひとたび集中すると、大人には想像もつかないところまで突っ走っていく迫力。「こういう感じってあった」といったあるある感とともに、「ここまではない」という心地よい飛躍感もあった。なんとなく「楠木《くすのき》ふみ」(1)や「橋場《はしば》茶子《ちゃこ》」(2)の小一時代は、かくありなんとも思った。

　クラスで出会った「すずちゃん」も素敵なキャラクターだ。そして、子どもならではの「難しい言葉」の勝負があり、なんとなく、ミニ・ホルモーといった趣でお話が進んでいく。この物語を読む楽しさは、言葉によるところも大きい。かのこちゃんが気に入る「ふんけー」や「いかんせん」などのチョイスもみごとだ。それだけではない、「物憂げに」「先達」「度肝を抜かれ」「目元は涼やか」「訝《いぶか》しげな」「刹那《せつな》」など、地の文章にさりげなくちりばめられた古風な言い回しが、この一見平々凡々たる物語に風格を与えている。

＊２００９年8月24日（月）

　第二章の原稿が届く。この章では、妄想力抜群のかのこちゃんも、化け猫の夫人も、キリッとしていて格好いい。とりわけ、気高い人格ならぬ猫格をもつマドレーヌ夫人の魅力が全開である。思いがけず人間に化けてしまったことを、最大限に活《い》かした夫人の八面六臂《はちめんろっぴ》の大活躍は見物である。そして、かのこちゃんとすずちゃんのおかしなお茶会、狂言のような「ござる言葉」の応酬が笑いを誘う。

＊２００９年９月９日（水）

後半の原稿が届いた。この物語もいよいよ終盤にさしかかり、抑制のきいた文章が心地よく、軽快に読み進んでいった。そして、すずちゃんとの別れ、さらには玄三郎との別れ。それぞれにしんみりと悲しみが伝わってきた。日常の中に秘められたワンダーを描いた物語も、しみじみと幕を閉じていくのだった。

しかし、「でも」とぼくは言いたくなった。第一章、第二章で、その魅力をふんだんに見せてくれたふたりの主人公「かのこちゃん」と「マドレーヌ夫人」、第三章では、このふたりがおとなしすぎるという感じなのだ。できれば、マドレーヌ夫人の化け猫ぶりをもう一度見せて欲しかった。そういう感想を送った。

＊２００９年９月19日（土）

万城目さんは、ぼくの感想を受け入れてくれ、改稿したものを送ってきた。この第二稿を読んで、ぼくの物足りない気持ちは、完全に払拭《ふっしょく》されたし、期待以上の楽しみもあった。マドレーヌ夫人の大冒険を、玄三郎と町中の犬たちがサポートする場面は、スケールも大きく、ダイナミックで、まさにクライマックスという爽快感《そうかいかん》があった。

そして、これによって種を超えた愛情物語がさらに感動的なものになった。

ところで、最後まで読んで、乳歯が抜けることを、大事なエピソードに使っている作者の意図がわかったような気がした。子どもたちは、何かを失うことで成長していく。欠落したあとの空洞は寂しいが、確実に、その空洞は新しい歯によって満たされるのだから。

＊２０１０年1月13日（水）

いよいよ見本ができた。クラフト・エヴィング商會のデザインも素敵で、万城目さんも気に入ってくれた。

＊２０１０年7月15日（木）

『かのこちゃんとマドレーヌ夫人』が第１４３回直木賞候補になる。こういうタイプの小説が候補になるのは珍しいのだが、受賞には到らなかった。

＊２０１２年12月2日（日）

『かのこちゃんとマドレーヌ夫人』が角川文庫に収録されるにあたり、解説を依頼される。クロニクル式に書き、最後に、改めて読み直した感想をこういう風に書いた。

「これは、豊かな感受性をもった、ちょっと風変わりな女の子が、日常生活のなかで、さまざまな驚き（ワンダー）や悲しみに出会っていく物語である。読みながら随所で笑いがふつふつとわき上がってくる。読んでいて、こんなに幸せな気分になれるお話はそうそうないだろう。大がかりな仕掛けなしに、小学一年生の日常から、これだけ楽しいドラマを紡ぎ出してくる万城目さんは、天性の物語作家なんだと思う」

（1）『鴨川ホルモー』の登場人物。（2）『プリンセス・トヨトミ』の登場人物。

本書は、二〇一〇年一月に筑摩書房より
刊行された新書を文庫化したものです。

かのこちゃんとマドレーヌ夫《ふ》人《じん》

万《ま》城《き》目《め》 学《まなぶ》

平成25年 1月25日　初版発行
令和7年 10月10日　18版発行

発行者●山下直久

発行●株式会社KADOKAWA
〒102-8177　東京都千代田区富士見2-13-3
電話　0570-002-301（ナビダイヤル）

角川文庫 17777

印刷所●株式会社KADOKAWA
製本所●株式会社KADOKAWA

表紙画●和田三造

●お問い合わせ
https://www.kadokawa.co.jp/（「お問い合わせ」へお進みください）
※内容によっては、お答えできない場合があります。
※サポートは日本国内のみとさせていただきます。
※Japanese text only

ISBN978-4-04-100687-0　C0193

◆◇◇

角川文庫発刊に際して

角川源義

第二次世界大戦の敗北は、軍事力の敗北であった以上に、私たちの若い文化力の敗退であった。私たちの文化が戦争に対して如何に無力であり、単なるあだ花に過ぎなかったかを、私たちは身を以て体験し痛感した。西洋近代文化の摂取にとって、明治以後八十年の歳月は決して短かすぎたとは言えない。にもかかわらず、近代文化の伝統を確立し、自由な批判と柔軟な良識に富む文化層として自らを形成することに私たちは失敗して来た。そしてこれは、各層への文化の普及滲透を任務とする出版人の責任でもあった。

一九四五年以来、私たちは再び振出しに戻り、第一歩から踏み出すことを余儀なくされた。これは大きな不幸ではあるが、反面、これまでの混沌・未熟・歪曲の中にあった我が国の文化に秩序と確たる基礎を齎らすためには絶好の機会でもある。角川書店は、このような祖国の文化的危機にあたり、微力をも顧みず再建の礎石たるべき抱負と決意とをもって出発したが、ここに創立以来の念願を果すべく角川文庫を発刊する。これまで刊行されたあらゆる全集叢書文庫類の長所と短所とを検討し、古今東西の不朽の典籍を、良心的編集のもとに、廉価に、そして書架にふさわしい美本として、多くのひとびとに提供しようとする。しかし私たちは徒らに百科全書的な知識のジレッタントを作ることを目的とせず、あくまで祖国の文化に秩序と再建への道を示し、この文庫を角川書店の栄ある事業として、今後永久に継続発展せしめ、学芸と教養との殿堂として大成せんことを期したい。多くの読書子の愛情ある忠言と支持とによって、この希望と抱負とを完遂せしめられんことを願う。

一九四九年五月三日

角川文庫ベストセラー

鴨川ホルモー　万城目　学

このごろ都にはやるもの、勧誘、貧乏、一目ぼれ——謎の部活動「ホルモー」に誘われるイカキョー（いかにも京大生）学生たちの恋と成長を描く超級エンタテインメント‼

ホルモー六景　万城目　学

あのベストセラーが恋愛度200%アップして帰ってきた！……千年の都京都を席巻する謎の競技ホルモー、それに関わる少年少女たちの、オモシロせつない恋模様を描いた奇想青春小説！

空の中　有川　浩

200X年、謎の航空機事故が相次ぎ、メーカーの担当者と生き残ったパイロットは調査のため高空へ飛ぶ。そこで彼らが出逢ったのは……？　全ての本読みが心躍らせる超弩級エンタテインメント。

海の底　有川　浩

四月。桜祭りでわく米軍横須賀基地を赤い巨大な甲殻類が襲った！　次々と人が食われる中、潜水艦へ逃げ込んだ自衛官と少年少女の運命は⁉　ジャンルの垣根を飛び越えたスーパーエンタテインメント！

塩の街　有川　浩

「世界とか、救ってみたくない？」。塩が世界を埋め尽くす塩害の時代。崩壊寸前の東京で暮らす男と少女に、そそのかすように囁く者が運命をもたらす。有川浩デビュー作にして、不朽の名作。

角川文庫ベストセラー

角川文庫ベストセラー

角川文庫ベストセラー

退出ゲーム　初野　晴

廃部寸前の弱小吹奏楽部で、吹奏楽の甲子園「普門館」を目指す、幼なじみ同士のチカとハルタ。だが、さまざまな謎が持ち上がり……各界の絶賛を浴びた青春ミステリの決定版、〝ハルチカ〟シリーズ第1弾！

初恋ソムリエ　初野　晴

ワインにソムリエがいるように、初恋にもソムリエがいる?!　初恋の定義、そして恋のメカニズムとは……お馴染みハルタとチカの迷推理が冴える、大人気青春ミステリ第2弾！

サッカーボーイズ　再会のグラウンド　はらだみずき

サッカーを通して迷い、傷つき、悩み、友情を深め、成長していく遼介たち桜ヶ丘FCメンバーの小学校生活最後の1年と、彼らを支えるコーチや家族の思いをリアルに描く、熱くてせつない青春スポーツ小説！

サッカーボーイズ　13歳　雨上がりのグラウンド　はらだみずき

地元の中学校サッカー部に入部した遼介は早くも公式戦に抜擢される。一方、Jリーグのジュニアユースチームに入った星川良は新しい環境に馴染めずにいた。多くの熱い支持を集める青春スポーツ小説第2弾！

サッカーボーイズ　14歳　蝉時雨のグラウンド　はらだみずき

キーパー経験者のオッサがサッカー部に加入したが、つまらないミスの連続で、チームに不満が募る。14歳の少年たちは迷いの中にいた。挫折から再生への道とは……青春スポーツ小説シリーズ第3弾！

角川文庫ベストセラー

アーモンド入りチョコレートのワルツ　森　絵　都

十三・十四・十五歳。きらめく季節は静かに訪れ、ふいに終わる。シューマン、バッハ、サティ、三つのピアノ曲のやさしい調べにのせて、多感な少年少女の二度と戻らない「あのころ」を描く珠玉の短編集。

つきのふね　森　絵　都

親友との喧嘩や不良グループとの確執。中学二年のさくらの毎日は憂鬱。ある日人類を救う宇宙船を開発中の不思議な男性、智さんと出会い事件に巻き込まれる。揺れる少女の想いを描く、直球青春ストーリー！

DIVE《ダイブ》!!（上）（下）　森　絵　都

高さ10メートルから時速60キロで飛び込み、技の正確さと美しさを競うダイビング。赤字経営のクラブ存続の条件はなんとオリンピック出場だった。少年たちの長く熱い夏が始まる。小学館児童出版文化賞受賞作。

いつかパラソルの下で　森　絵　都

厳格な父の教育に嫌気がさし、成人を機に家を飛び出していた柏原野々。その父も亡くなり、四十九日の法要を迎えようとしていたころ、生前の父と関係があったという女性から連絡が入り……。

リズム　森　絵　都

中学一年生のさゆきは、近所に住んでいるいとこの真ちゃんが小さい頃から大好きだった。ある日、さゆきは真ちゃんの両親が離婚するかもしれないという話を聞き……講談社児童文学新人賞受賞のデビュー作！